きちんと定番 COOKING

本当においしく作れる和食

日本料理は、旬を味わう料理です。

近頃では、一年中手に入る食材も多くなりました。
しかし日本人なら、
時季の食材を使い、器を使い、季節を感じ、
自分たちの料理の素晴らしさを
実感していただきたいと常々思っています。
この本でご紹介した料理は
普段の「小十」の料理とは趣が違います。
日本料理に親しむ第一歩として
ご家庭でもおいしい和食を楽しんでいただきたくて、
定番おかずや四季折々の料理など、
ご家庭で作れるものばかりを集めたからです。
ただし私なりに一貫している思いは

〝おいしい料理〟を作るということ。

料理人になって約25年。
この本では、料理を作り続けてきてようやくつかんだ
コツを存分にお教えしています。
しかし、コツはあくまでコツ。料理上手になる秘訣は、

何度も作って、数多くの失敗をし、

自分のものにすること。
そして「だし」をとってください。
素材とだし、この二つこそ日本料理の根幹です。
だしは冷蔵庫で保存すれば、風味は落ちますが数日使えます。
今の時代に合わせながらでかまいませんから、作ってほしい。
日本料理は、世界に誇れる日本の文化なんですから。

銀座 小十《こじゅう》
奥田 透

本当においしく作れる 和食 目次

PART 1

きちんと身につけたい 基本の和食

PART 2

季節を味わう 和えもの・酢のもの・酒肴

PART 3

憧れのプロの技と粋 刺し身・椀もの

PART 4

献立の主役をおいしく！ 焼きもの・揚げもの

PART 5

上手になりたい 煮もの・蒸しもの

PART 6

レパートリーを増やしたい ご飯・麺・汁もの

おいしい味噌汁

教えて！ 奥田料理長

知っておきたい 魚のさばき方

「日本料理は旬を味わう料理」

春

野山が淡い緑に染まり始める季節。長く寒い冬を閉じこもっていた人々は、春の匂いのなか青草を踏んで山野を駆け、ぬるんだ水辺で貝を探します。芽吹いたばかりの山菜は体が目覚める爽やかな苦みを、ふっくらと太った貝は磯の風味をもたらしてくれます。山海の恵みを楽しむ時機到来です。

器／黒田泰蔵

夏

湿度の高い日本の夏。暑くなるにつれて食欲も衰えがちなこの頃は、食材の色や器の質感など、涼を誘う趣がご馳走。水分豊かな冬瓜は爽やかな翡翠色。色鮮やかなかぼちゃやたこと合わせて冷たく仕立てれば、のどごしも涼しく、この季節に喜ばれます。ガラスの煌きが目にも涼しげに映ります。

器／艸田正樹

◀8～9ページの料理の作り方は174ページ。

秋

一日ごとに気温が下がり、朝夕はそぞろ寒さを覚える頃。日脚の速さに侘びしさを感じますが、野山や田園はお米、きのこ、栗、いも、果物などの実りのときを迎えます。この時季一番のご馳走は、なんといっても松茸。秋を迎えて脂ののったかますとの出合いは、日本の食の豊かさを実感します。

冬

日が短くなって寒風が吹きすさぶ時季には、温かい料理がなによりのおもてなし。霜柱の立った土の中では大根などの根菜が甘みを増し、海からは脂ののったぶりやたら、かにが到来します。身がたっぷりと詰まったずわいがにの旨みを存分に含んだ焼きがにご飯。蓋を開けたときの、湯気もまたご馳走です。

◀10～11ページの料理の作り方は174ページ。

和食で必ず知っておきたいこと

だしのこと

日本料理は「だし」が命。季節ごとの新鮮な素材においしいだしを合わせることで、料理が完成します。まただしがおいしければ調味料は少なくてすみ、薄味に仕上げることができます。

だしのとり方は決して難しくありません。はじめに、水とだし昆布、かつお節を合わせて、あくを取りながらちょっと気長にゆっくり煮出すだけ。気をつけたいのは火加減で、沸騰したら少しずつ火を弱め、ゆっくり25分ほどかけます。火が強いと雑味が出て、汁も濁ります。

とりたてのだしは、澄んだ黄金色。よい香りと深い味わいがします。

だしは、少し多めにとったほうがおいしくなります。残ったらふたのできる容器で冷蔵保存して、翌日の煮ものなどに使いましょう。

だしのとり方

水、だし昆布、かつお節によって、
だしの味わいは異なります。
この本では下記の材料を使っています。
水は浄水器を通したものでもかまいません。

材料（でき上がり2.4ℓ分）

水……4ℓ
ペットボトル入りのミネラルウォーター

だし昆布・羅臼昆布……40g
天然もの「3等検」
（→p.174昆布・海産物處「しら井」協力）

削りがつお……140g
東京・築地のかつお節専門店
「和田久」の「ごばん」

❶鍋に水を入れ、だし昆布と削りがつおを加えて火にかける。

❷沸騰したら少し火を弱め、ぽこぽこ沸く火加減で煮出す。出てきたあくを除く。

❸あくが出なくなったらさらに火を弱め、ときどきぽこっと沸くような火加減で5分煮出す。火にかけてから合計で25分ほど加熱する。

❹火を止めてそのまま15分ほどおき、かつおを自然に沈ませて、旨みを出しきる。煮出し汁は透明な黄金色になる。

❺ボウルに網をのせてペーパータオルを敷き、その上に流してこす。粗熱を取って密閉容器に入れ、冷蔵庫で保存する。

便利な「八方《はっぽう》だし」があれば

だしを塩と薄口醤油少量で吸いもの程度に味つけしたものを、この本ではさまざまに使えるという意味で「八方だし」と呼びます。これがあれば、おひたしや煮もの、炊き込みご飯、具の下味など、多くの料理で活躍します。この本では、椀もの用に味をつけただしにも八方だしを使います。日本料理では椀もの用のだしは「吸い地」と呼ぶので、椀もののページでは吸い地と八方だしを併記します。

八方だしの作り方

すべての材料をよく混ぜ溶かします。

材料

だし……500mℓ
塩……小さじ1/3
薄口醤油……小さじ1/2弱

味みをする

この本では、ご家庭で作りやすいように、調味料の分量を細かく出しています。それでも料理の途中で味みをして、ご自分で味を感じ、確かめてください。どの料理でも同じです。たとえば煮ものでは、砂糖を加えてなじんだ煮汁の味はどうか、醤油が加わると味はどう変わるのか。味みが料理上手になる近道です。そして塩分が少したりないと思ったら、ほんのひとつまみの塩をたす、ほんの1滴の醤油をたすなど、自分の舌に合うように調節してください。それが料理の楽しみでもあります。

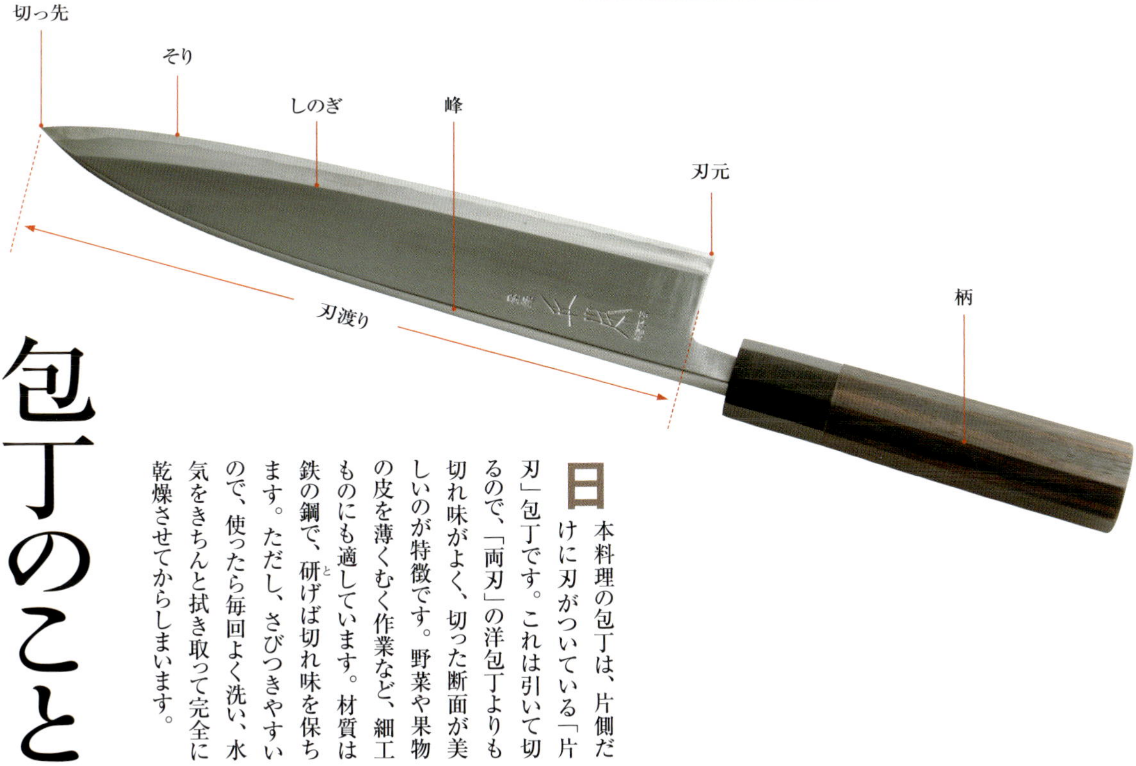

包丁のこと

日本料理の包丁は、片側だけに刃がついている「片刃」包丁です。これは引いて切るので、「両刃」の洋包丁よりも切れ味がよく、切った断面が美しいのが特徴です。野菜や果物の皮を薄くむく作業など、細工ものにも適しています。材質は鉄の鋼で、研《と》げば切れ味を保ちます。ただし、さびつきやすいので、使ったら毎回よく洗い、水気をきちんと拭き取って完全に乾燥させてからしまいます。

この本の使い方

きちんとおいしく作るために、本書レシピの使いこなし方をご紹介します。

「直伝！おいしく作るコツ」は、料理長からのメッセージ

調理の意味やぜひ知っておきたい大切なこと、プロならではの技を、奥田料理長が読者の皆さんに直接伝えています。料理のポイントを知って、お料理上手になりましょう。

材料表について

●「だし」とは、だし昆布と削りがつおでとったもので、12ページにとり方を紹介しています。「八方だし」とは、だしに塩と薄口醤油で吸いもの程度に味つけしたもので、13ページに分量を記しています。
●「醤油」は濃口醤油を、「酢」は純米酢を使っています。
●「煮きり酒」とは、酒を小鍋で沸かしてアルコール分をとばしたものです。
●小さじ1は5mℓ、大さじ1は15mℓ、1カップは200mℓ、1合は180mℓです。
●「少量」は親指と人差し指の2本でつまんだ分量で、塩なら約小さじ$\frac{1}{30}$。0.2g相当です。「ひとつまみ」は親指、人差し指、中指の3本でつまんだ分量で、塩なら約小さじ$\frac{1}{12}$。0.5g相当です。
●正味とは皮などを除いた可食部のこと。

料理の盛りつけ

●でき上がり写真は1～2人分の盛りつけ例です。材料表の分量どおりではないことがあります。
●温かい料理を盛る前には、器も温めておきましょう。

作り方について

●黄色くマーキングした部分は、作り方のポイントです。ここを押さえれば、必ず成功します。
●鍋やこんろにはそれぞれクセがあります。火力や加熱時間は、状態を見ながら加減してください。

きちんと身につけたい

基本の和食

魚の煮つけ、肉じゃが、茶碗蒸し……。
繰り返し作る基本の料理は絶対おいしく作りたい！
初心者にわかりやすく、ベテランも納得の、
奥田流・料理の基本をていねいに教えます。

PART 1

かれいの煮つけ

甘辛くふっくら煮つけた魚は、ご飯がすすむ家庭的なおかず。煮上がった直後より、少し時間をおくとおいしくいただけます。

材料（2人分）

子持ちかれい

（切り身、130gのもの）※…………2切れ

だし………………………………… $2\frac{1}{2}$カップ

酒………………………………… $\frac{1}{2}$カップ

生姜（せん切り）………………小1かけ分

砂糖………………………………大さじ4

みりん……………………………小さじ4

醤油………………………………大さじ4

※白身魚ならどんな魚でもよい。

直伝！おいしく作るコツ

煮魚は、「あらかじめ湯通しした魚を冷たいだしに入れて煮る」手法がおすすめです。湯通しすることで、生臭みの素になる血や汚れ、うろこを除くことができます。従来いわれてきた「煮立った煮汁に生の魚を直接入れる」手法より、はるかにおいしく、すっきりと煮上がります。湯通しするときの湯の温度は80℃前後。熱湯では黒い皮がむけ、逆にぬるま湯では生臭さが除けません。魚の表面が変性しているので、煮るときはゆっくり味を含ませるため醤油を2段階で加えます。

1 下ごしらえ

かれいは表（黒い側）の皮目に十文字の切り目を入れ、ボウルに入れて80℃前後の湯をまんべんなくかける（霜ふり）。表面が白くなったら流水で洗い、汚れなどを取り除き、水気を拭く。

2 煮る

切り身2枚が並ぶ平鍋に、かれいとだし、酒、生姜の半量を入れる。火にかけて沸いてきたら、あくを取る。

3

砂糖とみりんを加える。

4

ぷくぷくと泡立つ火加減で2～3分煮て、甘みをなじませる。

5

醤油は2回に分けて加える。まず半量を加え、途中で煮汁を全体に回しかけ、味をなじませながら煮続ける。

6

残りの醤油も加え、出てきたあくはそのつど除く。2回に分けて加えることで、味がきちんと入る。

7

味が決まったらペーパータオルをかぶせ、中火で10分、最後は弱火で5分ほど煮る。

8

汁が煮つまって減り、かれいが飴色に煮えたら火を止める。器に盛って煮汁をかけ、残りの生姜をのせる。

皿・めし碗／荒賀文成

さわらの照り焼き

甘辛いたれに漬けて、その汁を塗りながら焼くことで魚につやと香ばしさが加わります。

材料（2人分）

さわら（切り身、70gのもの）※……2枚

照り焼きのたれ

- みりん……120mℓ
- 酒……40mℓ
- 醤油……60mℓ

サラダ油……少量

前盛り

- さつまいものレモン煮（→下記）……適量
- かぶのあちゃら漬け（→下記）……適量

※ぶり、甘鯛、金目鯛などでもおいしく作れる。

1　たれに漬ける

たれは、みりんと酒を小鍋に入れて火にかけ、アルコール分をとばす（煮きる）。冷めたら醤油も加えて小さい深バットに入れ、さわらを漬ける。ペーパータオルをかぶせて20分おく。

2　焼く

魚焼きグリルの焼き網はサラダ油を塗って加熱する。1の汁気をきり、盛るときに表になる面を上にして網にのせ、両面焼きグリルで焼く。八分通り焼けたら漬け汁を2～3回塗り、焼き上げる。

3　盛りつける

皿に盛り、前盛りをあしらう。

直伝！　おいしく作るコツ

照り焼きのたれは「みりん3：酒1：醤油1.5」の割合を覚えておくと便利です。焼き魚の前盛りは、箸休めの役割もあり、おいしくいただくために大切な要素。季節の野菜を使いましょう。切っただけの柑橘類でもかまいません。料理法は、魚との彩りや味わいの対比の妙を楽しめるよう考えます。たとえばさっぱりした野菜の塩もみや酢のもの、甘い蜜煮など。多めに作って、副菜にしてもよいでしょう。

前盛り野菜の作り方

かぶのあちゃら漬け

❶かぶ3個の皮をむいてさいころ状に切る。4%の塩水（水500mℓ、塩20g）に20分浸し、しんなりしたらざるに上げて水気を拭く。

❷あちゃら酢の材料（水220mℓ、酢160mℓ、砂糖45g、塩小さじ1/4、だし昆布3cm角1枚、赤唐辛子1本）を混ぜて砂糖を溶かし、かぶを漬け、ペーパータオルをかぶせて一晩おく。2週間日もちする。

さつまいものレモン煮

❶さつまいも500gを皮つきのまま7mm厚さに輪切りにし、たっぷりの水と砕いたくちなしの実6個分を加え、中火以下の火加減でゆでる。火が強いといもが煮くずれる。竹串が通るぐらいになったら水にさらし、水気をきる。

❷砂糖水（水1ℓに砂糖300gを溶かす）に入れて沸かし、弱火にしてゆっくり約5分煮る。火を止め、レモンの薄切り2～3枚も加えてそのまま味を含ませる。冷めるといっそう味を含む。2日ほど日もちする。

「照り焼きのたれ」展開術

教えて！奥田料理長

照り焼きのたれは、別名「割りした」。すき焼きや牛丼などにも使う、日本人になじみの深い醤油ベースの甘辛い味。魚はもちろん、肉やハンバーグなどにも塗って焼くと、みんなが好きな、白いご飯がすすむおかずがたちまちでき上がります。

醤油ベースだから和の素材ならどんなものにもなじみます。これに他の素材をプラスするだけで、さまざまなたれに展開できるのも魅力。魚の照り焼きに合う、「柚庵《ゆうあん》だれ」「味噌柚庵だれ」「山椒《さんしょう》だれ」も、覚えておくと料理のバラエティが広がります。

みりん3：酒1：醤油1.5

みりん120㎖と酒40㎖を火にかけ、アルコール分をとばして冷まし、醤油60㎖を混ぜたもの。

＋ 柚子皮

柚庵だれ

照り焼きのたれ……………1カップ
黄柚子の皮……………………………5g
（または柚子の絞り汁小さじ1）

照り焼きのたれに柚子皮を加えて香りを移し、金目鯛の切り身を20分漬けて焼く。

＋ 粒白味噌

味噌柚庵だれ

照り焼きのたれ……………1カップ
白粒味噌……………………………150g

照り焼きのたれに白粒味噌を加えてなめらかに混ぜ、金目鯛の切り身を20分漬けて焼く。

＋ 実山椒の佃煮

山椒だれ

照り焼きのたれ……………1カップ
実山椒の佃煮（瓶詰）……10g

照り焼きのたれに実山椒の佃煮を混ぜ、金目鯛の切り身を20分漬けて焼く。

春菊と菊花、しめじのおひたし

おひたしとは、野菜に含ませた「だし」のおいしさを味わう料理。春菊としめじの味と香りに、菊花が彩りを添えます。

材料（2人分）

春菊	2/3束
塩	小さじ1
菊花	1/3パック
酢	小さじ1
しめじ	1/3パック
八方だし（→p.13）	3カップ
白いりごま	少量

1 春菊は葉を摘んで、黒い部分や虫食い葉やしなびた葉を除き、流水で洗う。春菊を流水に2〜3分さらして、シャキッとさせる。このひと手間で、火が通りやすくなり、短時間でゆで上がるので食感もよくなる。

2 1.5ℓの水に塩小さじ1を入れて沸かし、春菊を菜箸でさばきながら15〜20秒ゆでる。ゆですぎると食感が悪くなる。

3 氷水にさらしてあく抜きと色止めをし、水気を絞る。両手できっちりと、かたまり状になるまできつく絞る。かたまりをほぐして、縦横6等分に切る。

4 菊花は花びらをむしり、色の悪い花びらは除く。1.5ℓの水を沸かして酢小さじ1を加え、10〜15秒ゆでる。氷水に入れてさらし、水気を絞る。

5 しめじは根元を落として軸を半分の長さに切る。小鍋に八方だし1/3量としめじを合わせて煮立て、あくを除き、火を弱めて2分煮る。火からおろしてそのまま味を含ませる。

6 八方だし2/3量に、3〜5の野菜を30分浸す。ざんぐりと盛り、浸し汁を適量かけ、白ごまをふる。

直伝！ おいしく作るコツ

おひたしに使う青菜はゆでて氷水にさらしたら、ぎゅっと固く絞ってください。乾いたスポンジが水を含むように、だしが浸透しておいしくなります。きつく絞っても旨みは逃げません。むしろ水分が残っていると主役のだしの味がぼけてしまいます。春菊の葉を取った残りの軸は、ご家庭なら簡単な一品を作ってはいかがでしょう。たとえばゆでてごま油をかけ、ツナなどをのせるとおいしいですよ。

肉じゃが

肉や野菜の甘みが生きる、家庭の煮ものの大定番。牛肉を使って、肉そのものもおいしく煮上げる手法です。

材料（4人分）

じゃがいも……………中4個（正味500g）
にんじん……………………1本（正味120g）
玉ねぎ………………………2個（正味400g）
きぬさや……………………………………12枚
牛肩ロース肉（薄切り）………………300g
しらたき……………………………………1袋
サラダ油…………………………………大さじ1
水………………………………………………1ℓ
砂糖……………………………………大さじ10
みりん…………………………………¼カップ
醤油……………………………………1カップ

直伝！おいしく作るコツ

肉じゃがは、地方やご家庭によって作り方が違います。これは煮汁が残るタイプで、味も関東風のものより薄味です。そして牛肉のおいしさが味わえるよう、野菜に少し味がなじんだあとに、時間差をつけて肉を加えます。なお、じゃがいもやにんじんが煮くずれることなくキリッと角が残ると、見た目が上品になります。そのためにも、まず野菜を炒めて表面を固めておきましょう。

1 具の下ごしらえ

じゃがいも、にんじんは大きめの乱切り、玉ねぎはくし形切りにする。きぬさやは筋を取ってゆで、冷水にとる。牛肉は食べやすく切る。しらたきは水洗いしてざく切りにする。

2 煮る

鍋にサラダ油を熱し、中火～弱火で火の通りづらいじゃがいもから炒める。油が回ったらにんじん、次に玉ねぎの順で加えて炒める。

3

全体に油が回ったら分量の水を加え、沸騰させてあくを除く。

4

砂糖、みりんを加え、2～3分煮て甘みをなじませる。

5

次に醤油を加え、2～3分煮て全体に味をなじませる。

6

しらたきを加え、牛肉を1枚ずつ手で広げながら加える。あくは出るつど除く。

7

味が決まったらペーパータオルをかぶせ、ふつふつ沸く状態のまま15分煮る。

8 仕上げ

火を止めて、そのまま30分ほどおいて味を含ませる。きぬさやを加えてひと煮し、煮汁少量とともに器に盛る。

だし巻き玉子

「卵1個にだし30㎖」がだし巻き玉子の比率。
ふわふわと溶けるような食感で、
卵とだしのおいしさを存分に味わえます。

材料（18cm×13.5cmの
玉子焼き鍋で1本分）

卵	3個
だし	90㎖
塩	ひとつまみ強
薄口醤油	小さじ1/3弱
サラダ油	適量
大根おろし	適量
醤油	少量

直伝！
おいしく作るコツ

だし巻き玉子約1本分は、卵3個にだし90㎖が基本です。卵は卵白を充分にほぐし、卵黄とよく混ぜることが大切です。これは茶碗蒸し（→p.30）も同じです。ふわふわでこわれやすいので、取り出すときは気をつけてください。玉子焼き鍋の上に巻きすをのせて密着させ、手で押さえながらそっとひっくり返します。

1　卵液を作る

だしに塩味をつけ、味みする。たりなければ、塩をほんの少し加え、薄口醤油も加えて味を決める。卵を加え混ぜたあとでは、味がわかりにくくなる。

2

大きめのボウルに卵を割り入れ、泡立て器で卵黄と卵白をよくほぐして1を混ぜる。

3

こし器に通し、こし網の上に残った卵液は、泡立て器で混ぜながらこす。

4　焼く

玉子焼き鍋を火にかけて熱し、サラダ油をペーパータオルに含ませて薄くひく。卵液を箸で落としてみて、ジュッと音を立てて固まったら適温。

5

約40㎖の卵液を流し入れ、鍋を傾けて全体に行き渡らせ、泡ができたら箸で突いて消す。玉子焼きに焼き色がつく前に、菜箸で折りながら奥から手前へ巻く。

6

鍋のあいた奥の部分にサラダ油をひき、玉子焼きをそのまま奥へずらす。

7

手前にサラダ油をひき、再び卵液を流し、玉子焼きを持ち上げて下にも卵液を行き渡らせる。泡は箸で突いて消し、手前へ巻く。

8　仕上げ

6〜7を繰り返して巻き上げ、巻きすにとって形を整える。巻きすで包んで1〜2分おき、形が落ち着いたら8等分に切る。大根おろしを添え、醤油をかける。

器／米田 和

揚げだし豆腐

シンプルなだけに、おいしく作りたい料理の代表。
外側のカリッとした食感に続いて、ふんわり弾力のある豆腐が口に広がる、このメリハリも魅力。

材料（2人分）

木綿豆腐※……………………1丁（300g）
葛粉…………………………………適量
揚げ油（サラダ油）…………………適量
かけつゆ
- だし…………………………$\frac{1}{2}$カップ
- みりん……………………………小さじ4
- 醤油………………………………小さじ4

白髪ねぎ・おろし生姜・大根おろし
……………………………………各少量

※絹ごし豆腐でもよい。

直伝！ おいしく作るコツ

揚げだし豆腐は少し低い温度（170℃）で、長めに揚げて豆腐の水分を抜きます。油の温度をみるときは葛粉を落としてみて、泡が出ないと低く、泡が大きすぎるなら高すぎます。ここではいちばんシンプルな揚げだし豆腐をご紹介しましたが、ひと手間加えるともっとおいしくなります。長ねぎやしいたけ、にんじんをせん切りにして素揚げにし、かけつゆで煮て大根おろしを加え、揚げた豆腐にかけます。ボリューム感も出ますよ。

1 豆腐の下ごしらえ

木綿豆腐はやっこに切り、バットにペーパータオルではさんで並べ、10分おいて水きりする。

2

乾いたバットに葛粉を広げ、1の水気を拭いて入れ、周囲にまぶす。

3 揚げる

揚げ油を170℃に熱する。葛粉ひとつまみを落としてみて、一瞬おいたあと中粒の泡が広がれば適温。

4

豆腐に再度、葛粉をまぶして余分な粉を落とし、揚げ油に入れて揚げる。約1分半でほのかに揚げ色がついたら、裏返す。

5

豆腐の表面が堅くなり、ふっくらふくらんで、持ち上げると軽くなったら揚げ終わりの目安。

6 仕上げ

ペーパーを敷いたバットにとり、油をきる。かけつゆの材料を合わせてひと煮立ちさせ、器に盛った揚げだし豆腐にかける。白髪ねぎ、おろし生姜、大根おろしを添える。

焼きなす

なすの甘みは、しっかり焼いてこそ出ます。
皮をむいてもほんのり焦げ色が残るくらい焼き、焼いた風味も味わいます。

材料（2人分）

中なす	2本
白髪ねぎ	適量
おろし生姜	適量
醤油	少量

直伝！ おいしく作るコツ

ここではシンプルに生姜醤油をかけましたが、焼きなすを八方だし（→p.13）に浸しておひたしにすると、より上品な一品になります。

1 なすの下ごしらえ

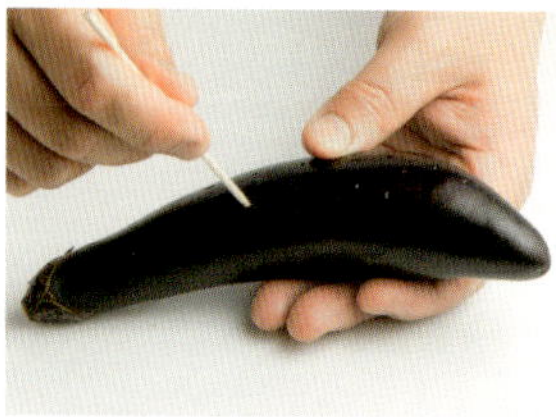

なすはへたをつけたまま、火が通りやすいように皮全体に竹串で穴をあける。

2 焼く

焼き網を中火で熱してなすをのせ、じっくり焼く。焼けたらころがし、これを繰り返して皮全体に焦げ色をつける。

3

なすがしぼみ、持つと柔らかくなったら焼き上がり。

4 仕上げ

すぐに氷水にとって、手早く皮をむく。

5

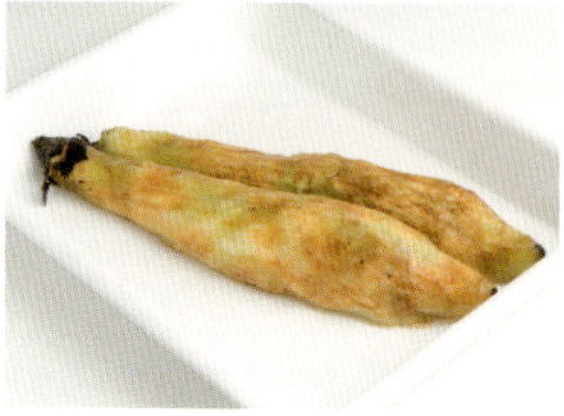

引き上げてへたを切り落とす。長さを2～3等分して縦二～四つ割りに手で裂き、水気を絞って盛る。白髪ねぎを添えておろし生姜をのせ、醤油をかける。

なすの種類いろいろ

なすはとても品種が多く、日本各地に形や大きさの違うなすがあります。種類によって調理法もさまざま。漬けものに向くもの、煮ものにするとおいしいものなどもありますが、どんな料理にも向く一般的なタイプは「中なす」です。

小なす

一口なす、茶せんなすとも呼ばれる。皮が柔らかく、種が少ない。主に漬けものに。

中なす

最も多く、一年中出回っているが、露地ものの本来の旬は7月～10月。

長なす

長さは30㎝ほどになる。長時間加熱してもくずれないので、煮もの向き。

賀茂なす

京都の上賀茂地域で栽培されている丸なす。肉質が緻密《ちみつ》で重く、煮もの向き。

米《べい》なす

もともとアメリカ産のなすを改良したのでこの名がつく。大きくて種が少なく、加熱調理に向く。西洋種なのでへたが緑色をしている。

器／藤平 寧

茶碗蒸し

「卵1個にだし100㎖」が、
ゆるすぎずに卵の味わいが堪能できる黄金の配合比。
しみじみおいしい正統派の味をどうぞ。

材料（2人分）

鶏肉	50g
ぎんなん（殻を除いたもの）	4個
しいたけ	1枚
三つ葉	1/3束
卵液	
卵	2個
だし	1カップ
塩	ふたつまみ弱
薄口醤油	小さじ1/6

直伝！ おいしく作るコツ

蒸し上がりに、だしが上に浮いて卵と分離する場合は、だしと卵がよく混ざっていないことが多いです。具は、このほかに白身魚、かき、うに、ゆり根、きのこ類など、上品なものを季節感を生かして選びます。水分の多い具を使ったり、具だくさんの茶碗蒸しに仕立てる場合は、具から出る水分を考慮してだしの量を少し控えて調整します。

1 具を用意する

鶏肉は4等分し、熱湯にくぐらせて氷水にとる。ぎんなんは玉杓子でこすりながらゆでて薄皮をむき、半分に切る。しいたけは8等分する。三つ葉は軸と葉に分け、軸はざく切りにする。

2 卵液を作る

だしに塩味をつけ、味みする。たりなければ、さらにほんの少しの塩を加え、薄口醤油も加えて味を決める。卵を加え混ぜたあとでは、味がわかりにくい。

3

ボウルに卵を割り入れ、泡立て器でよくほぐして2を加え混ぜる。こし器に通し、網の上に残った卵液は泡立て器で混ぜながらこす。

4 蒸す

器に1の具を等分に入れ、卵液を静かに注ぐ。表面に泡があれば竹串で突いて消す。

5

蒸気の立った蒸し器に入れ、蒸し器のふたは少し開けておく。はじめは強火で3〜5分蒸し、卵液の表面が白っぽくなったら火を弱め、5〜7分蒸す。

6

竹串を刺して汁が透明であれば、蒸し終わり。

「すが立つ」ってどういうこと？

蒸し上がりにポツポツと穴があくことを、「すが立つ」といいます。食感が悪く、これでは茶碗蒸しは失敗。上写真がその失敗例です。

原因は、温度が上がりすぎたため。かといって弱火で蒸すと時間がかかり、茶碗蒸しの表面に張りも出ません。そこで蒸気がよく出る状態で、蒸し器のふたを少し開けて蒸気を逃がしながら蒸してみましょう。過度の高温を防ぐため、器のふたもしません。失敗しても何度も挑戦すれば、次第にコツがつかめてきます。

豚角煮

目指すのは甘辛い味がじっくりとしみ込み、箸を入れるとほぐれるほど柔らかい角煮。溶き芥子をきかせていただきましょう。

材料（作りやすい量・8個分）

豚ばら肉（かたまり）……400g
酒……1½カップ
長ねぎの青い部分……2本分
生姜（皮をむいて薄切り）……40g
煮汁
- 豚肉のゆで汁……1.4ℓ
- 砂糖（できればざらめ糖）……大さじ3
- みりん……120mℓ
- 醤油……½カップ
- たまり醤油……小さじ4

スナップえんどう……4本
塩……少量
溶き芥子……適量

直伝！おいしく作るコツ

豚肉をゆでて一晩おき、翌日に味を入れながら煮る。この2段階の加熱で肉の繊維がほぐれ、中までしっかり調味料が入り、深みのある味わいに仕上がります。なお、残った煮汁は豚肉の旨みが出ているので、だしや水で薄めて野菜の煮ものなどに使うとよいでしょう。

1 豚肉の下ゆで

フライパンを熱して豚肉の脂身側を下にして入れ、中火で肉全体に焦げ目がつくまで焼く。出た脂はペーパータオルで拭く。途中、脂が周囲に飛ぶのでアルミ箔をかぶせるとよい。

2

豚肉を冷水にとり、流水をかけて脂を除き、ペーパータオルで水気を拭く。

3

深鍋に2の豚肉を入れ、水2.7ℓと酒、長ねぎの青い部分、生姜を入れて沸かす。あくを取り、ペーパータオルをかぶせて、表面がぽこぽこ沸く火加減で2時間ゆで、ペーパータオルをはずしてそのまま一晩おく。

4

表面の固まった脂を取り除く。長ねぎと生姜も除き、豚肉を取り出して5〜6㎝角に切り分け、ゆで汁はこして煮汁に使う。

5 煮る

別鍋に4のゆで汁1.4ℓと豚肉を入れて火にかけ、煮立ったらあくを取って砂糖とみりんを加える。

6

ぽこぽこ沸く火加減で5分煮て、甘みをなじませる。

7

醤油は2回に分けて加える。まず半量を加え、ペーパータオルをかぶせて10分煮る。残りの醤油を加えて5分煮て、最後にたまり醤油を加える。

8 仕上げ

さらに15分ほど煮る。スナップえんどうはへたと筋を除いて塩ゆでし、冷水にとる。器に角煮を山高く重ね、スナップえんどうを右手前に盛り、煮汁をかけて溶き芥子を添える。

器／中里花子

おでん

ゆっくり煮込むことで、だしを含んだ大根の甘み、練り製品の旨みなどが渾然一体となり、最高においしいおでんになります。

材料（4～5人分）

かんぴょう	50cm
塩	適量
ちくわ（斜め半分に切る）	2本分
ごぼう巻き	4本
白はんぺん	4個
お好み揚げ	4枚
すじ	4本
油揚げ	2枚
餅（半分に切る）	小2切れ分
大根（1.5cm厚さ）	4個
米のとぎ汁	適量
こんにゃく	4枚
ゆで玉子	4個
煮汁	
だし	1.2ℓ
薄口醤油	40mℓ
醤油	20mℓ
みりん	10mℓ
溶き芥子	適量

1 具の下ごしらえ

かんぴょうは塩をふってもみ、柔らかくゆでて4等分しておく。

2

ちくわ、ごぼう巻き、お好み揚げ、すじをざるに入れ、熱湯にくぐらせて油を抜く。油揚げは熱湯をかけて半分に切り、袋状に開いて餅を詰め、口をかんぴょうで結ぶ（袋）。

3

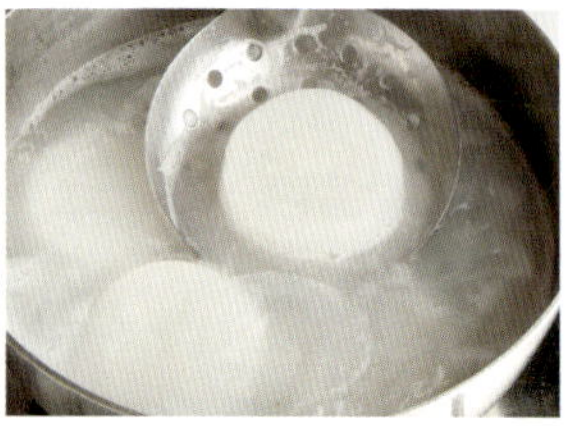

大根は面取りし、片面に十文字の隠し包丁を入れ、米のとぎ汁で20分ゆでる。竹串を刺して通ったら流水で洗う。こんにゃくは片面に斜め格子の隠し包丁を入れて4等分し、ゆでる。

4 煮る

大鍋に袋とはんぺん以外の材料を入れる。堅いものを下に並べ、小さいもの、軽いものは上にのせるとよい。だしを注いで火にかけ、煮立ってきたらまず薄口醤油を入れて味をみる。

5

ぽこぽこ沸く火加減で煮る。あくを除いて、醤油とみりんを加える。

6

味が決まったらはんぺんと袋を入れ、ペーパータオルをかぶせて20～30分ほど煮込む。溶き芥子を添えていただく。

教えて！奥田料理長

故郷の味 静岡おでん

静岡出身の私にとって、「おでん」といえば「静岡おでん」のこと。牛すじでとっただしで煮て、仕上げに青のりが入った削り粉（煮干し粉）をふって食べる、串刺しおでんです。最近ではＢ級グルメとして、全国的に知られるようになりましたね。静岡市内の大衆的な店では当たり前にあり、子供が立ち寄る駄菓子屋にもある、なじみ深い味です。たねに欠かせないのが、いわしやあじなど青魚のすり身で作る「黒はんぺん」。旨みの強いこの静岡おでんの作り方をご紹介しましょう。

材料（4～5人分）

大根	$\frac{1}{2}$本
米のとぎ汁	適量
ゆで玉子	4個
ちくわ	4本
ごぼう天	4個
黒はんぺん	4枚
削り粉・青のり・溶き芥子	各適量

煮汁

牛すじ肉	500g
水	4.5ℓ
酒	$2\frac{1}{4}$カップ
だし昆布	5g
みりん	$\frac{1}{2}$カップ
薄口醤油	$\frac{1}{4}$カップ
醤油	$1\frac{1}{2}$カップ

❶牛すじ肉をぶつ切りにし、熱湯にくぐらせる。大鍋に牛すじ肉と水、酒、昆布を入れ、あくを取りながらぽこぽこ沸く火加減で煮て、牛すじ肉を取り出し、2割ほど煮つめる。煮汁がだしになる。

❷大根は3～4㎝厚さに切り、皮をむいて面取りし、隠し包丁を入れて米のとぎ汁でゆでる。ちくわ、ごぼう天は熱湯をかけて油抜きする。牛すじ肉とすべての具に串を刺す。

❸❶の煮汁に❷の具を入れ、みりん、薄口醤油、醤油を加えて煮込む。器に盛って削り粉と青のりを混ぜてかけ、溶き芥子を添える。

季節を味わう

和えもの
酢のもの
酒肴

献立の副菜にもなる小さな料理は、
季節の素材を使って小粋に仕立てましょう。
ちょこっと何か一皿欲しいとき、
お酒のお供につまみたいとき、
とても重宝します。
白和えやぬたも、奥田さんの手で上等な一品に。

PART 2

和えもの
酢のもの
酒肴で大切なこと

1 和えもの、酢のものの具は下味をつける

白和えの具は、だしに浸して味を含ませる場合もある。

酢のものに使うきゅうりを塩水に浸して、下味をつける。

野菜や魚介など具になる材料は、そのままでは和え衣や合わせ酢となじまず、全体に味が調和しません。和えものの場合は、塩ゆでする、だしに浸して薄味をつける、下煮するなど、あらかじめ下ごしらえをして味を含ませてから、衣で和えます。酢のものなら、塩もみや、酢洗い、酢じめをしておきます。

なお、具が大きかったり厚い場合は、切り目を入れておくと、衣がよくからみ、合わせ酢も浸透しやすくなるだけでなく、食べやすくなります。

2 仕上げるのは、盛る直前

和えもの、酢のものは、仕上げてからだいたい10分以内が食べ頃。時間がたつと具から水分が出て味がぼやけ、料理の見た目も悪くなります。従って衣で和えたり、合わせ酢をかけるのは、いただく直前に行うのが鉄則。具はそれまでに冷ましておき、水気や汁気はきっちりと絞っておきます。

3 ボウルの中で形を整えて盛る

和えもの、酢のものは、盛るときの形が決まりにくい料理です。ボウルの中で和えたり混ぜる段階で菜箸と手で形作り、そのまま器の中へ移動すると、自然で美しく盛ることができます。その際、主役の素材が際立っているか、気を配りましょう。

なお、和え衣の場合、衣と具とを均一には混ぜずに、ざっくりとラフに混ぜます。衣がついている部分と少なめの部分ができるほうが、口にしたときに変化に富んでおいしく感じられます。

盛りつける姿をイメージし、ボウルの中で形作る。

4 酒肴は季節感を大切に

お酒をおいしくいただくための料理はまず、季節感を生かすことが第一。今では一年中なんでも手に入りますが、四季折々の旬の素材をお出しするほうが、興趣をそそります。どんなに手をかけて美しく仕上げても、季節感がずれていると興ざめです。さらに、少量を小粋に盛ること、季節の香りや歯ざわりのある素材を生かすこと。塩味、ピリ辛味でアクセントをきかせると、一段と酒肴向きになります。

わらびとたらの芽の白和え

絹のようになめらかな豆腐の衣が、山菜にまといます。
具は、ていねいに下味をつけると、白和え衣とよく調和します。

材料（2人分）

たらの芽※ …………………… 2本
塩 ………………………………… 適量
八方だし（→p.13）…… 1カップ
わらびの芽（あく抜きしたもの →p.60）…………………… 30g
煮汁
- だし ……………………… 1カップ
- みりん ……………… 大さじ1弱
- 薄口醤油 ………… 大さじ1弱

白和え衣（作りやすい量。大さじ1を使う）
- 木綿豆腐 …… ½丁（160g）
- 煮きり酒 ……………… 小さじ4
- 塩 ……………………… ひとつまみ
- 砂糖 ……………… 小さじ½弱
- みりん ……………… 小さじ1弱
- 薄口醤油 ……… 小さじ½強
- 醤油 …………………… 小さじ½

すり白ごま …………………… 適量

※具はにんじんなどの根菜、ほうれん草などの葉菜、きゅうりやオクラなどの実野菜、枝豆やそら豆などの豆類、果物でもよい。油揚げなどの豆腐製品も合う。

直伝！おいしく作るコツ

白和えは、衣をまとわせることで具のおいしさを際立たせる料理。具は水気をしっかりきり、ざっくり和えましょう。衣の濃淡で生まれる味の違いも、和えものの魅力です。また、なめらかな白和え衣を作るには、フードプロセッサーが重宝します。すり鉢では豆腐のぽろぽろした食感が残って主張し、主役の具が引き立ちません。

1 白和え衣を作る

豆腐をペーパータオルで包み、巻きすで巻いて、まな板などではさむ。水を入れたペットボトルなどを重しにし、約4時間おいて、しっかり水きりする。

2

水きり後の状態。重量は⅔ほど（約100g）に減り、指で押すと跡が残る。

3

フードプロセッサーに豆腐を入れて撹拌し、煮きり酒を加えてさらに撹拌する。塩、砂糖、みりん、醤油2種も加えて混ぜ、粒のないなめらかな状態にし、白和え衣の完成。このうち大さじ1を使う。

4 具を用意する

たらの芽のおひたしを作る。たらの芽の根元の部分を3㎜ほど切り落とし、ぐるりと1周分を削り落として形を整える。

5

火が通りやすいように根元に1本の隠し包丁を入れる。熱湯に塩を加えてゆで、氷水にとり、水気をきる。八方だしに浸し、ペーパータオルをかけて30分おく。

6

あく抜きしたわらびを炊く。分量のだし、みりん、薄口醤油を合わせた鍋に入れ、さっとひと煮立ちさせて、鍋ごと氷水に入れ、ペーパータオルをかぶせて冷ます。

7

下味をつけたたらの芽とわらび。衣で和えるときは、どちらも汁気を絞り、さらにペーパータオルでしっかりと汁気を拭く。

8 和える

ボウルに7の具を入れ、3の白和え衣大さじ1を加えて、衣と具が混ざりきらないように意識しながら箸と手でざっくりと和え、そのまま自然な感じで器に盛る。すり白ごまをふる。

器／藤平 寧

赤貝とわけぎのぬた

ぬたとは、芥子酢味噌で和えた料理のこと。
味噌の旨みと酢の酸味、鼻に抜ける辛さが絶妙な、代表的な和えもののひとつ。
個性のはっきりした貝類や青魚によく合います。

材料（2人分）

わけぎ	1束
塩	適量
赤貝（むき身）※	1個分
ぬた衣	
玉味噌（→p.44）	15g
酢	大さじ$\frac{1}{2}$
溶き芥子	適量
黄柚子の皮（刻み柚子）	少量

※鳥貝、まぐろ、いか、あさりなどでもよい。

直伝！おいしく作るコツ

芥子酢味噌の酢や芥子の量は、お好みで加減してください。衣で和えずに、上からかけてもよいでしょう。その場合は酢の量を増やしてゆるめます。作りたての玉味噌は熱く、酢を混ぜると風味がとぶので冷まして使います。玉味噌は冷蔵保存がきくので、作りおけば酢を混ぜるだけでぬた衣がいつでも作れます。

1　ぬた衣を作る

ぬた衣（芥子酢味噌）は材料をよく混ぜ合わせる。

2　具を用意する

1ℓの湯に塩大さじ1を加えてわけぎを入れ、沸騰したら引き上げて盆ざるに広げる。塩をふって15分おき、脱水させる。

3

根元（白い部分）を左にしてまな板に置き、押さえて、右の手のひらの側面で左から右へ（青いほうへ）しごく。白い部分のみ使い、2.5cm長さに切り分ける。

4

赤貝の身は表面に斜め格子の切り目を入れ、7mm幅に切る。

5

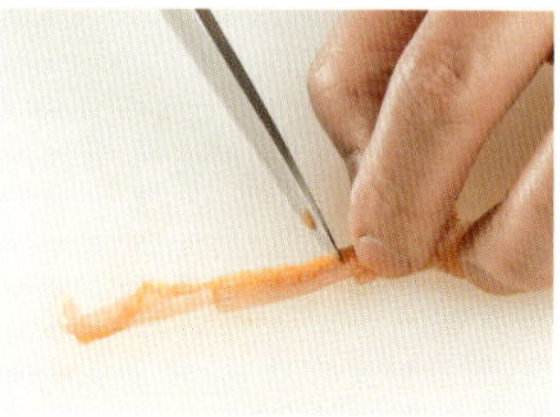

赤貝のひもは一口大に切る。

6　和える

ボウルに**4**、**5**とわけぎの白い部分20gを入れ、**1**のぬた衣大さじ1を加える。ボウルの中で箸と手でざんぐり和え、小高くまとめてそのまま器に盛り、刻み柚子を散らす。

小鉢／荒賀文成　箸置き／中里花子

教えて！奥田料理長

便利な作りおき「玉味噌」展開術

玉味噌は、味噌に卵や酒、砂糖を加え、火にかけて練った和食の作りおき調味料の代表格。味噌にも卵にも火が入っているので味が安定し、冷蔵庫で保存すれば2週間くらい日もちします。

幅広く使えるのが、マイルドな白味噌で作るタイプ。玉味噌そのままを使うなら魚介や肉、野菜の味噌焼き、味噌炒め、田楽など。玉味噌を酢でのばせば酢味噌、酢と芥子でのばせば芥子酢味噌（ぬた衣）になります。また季節の香りや食材を混ぜるだけで、四季折々の味に早変わり。たとえば、春は木の芽、夏は青柚子、冬は黄柚子など。ごまを加えればごま味噌にもなります。

白味噌ほど多彩に展開しにくいものの、田舎味噌や赤味噌を使うとまた違う味が楽しめます。その場合も、調味料の配合や作り方はすべて同じです。

基本の玉味噌（白味噌タイプ）

材料（作りやすい量）

西京白味噌	500g
卵	3個
卵黄	1個
酒	135mℓ
砂糖	100g

❶玉味噌の材料。西京白味噌、卵、卵黄、砂糖、酒。白味噌はこし味噌を使う。

❷ボウルに卵と卵黄を入れてよく混ぜ、酒、砂糖も加えて混ぜる。

玉味噌 ＋ 木の芽と青寄せ　木の芽味噌

使い方
木の芽味噌は春の味。貝やいかなどの魚介類、ふきやうど、グリーンアスパラガスなど春野菜の和えものに使います。田楽味噌として、豆腐はもちろん、さわらや鯛などの春の魚に塗って焼いてもよいでしょう。

ほうれん草の葉をゆでて裏ごしし、ペーストにして青寄せを作る。木の芽10gをすり鉢でつぶす。玉味噌200gと青寄せ20gを加え混ぜ、緑色の木の芽味噌を作る（→p.90）。

玉味噌 ＋ 柚子皮　柚子味噌

使い方
冬の魚介のかきやかになどを和えてもいいでしょう。白菜など冬野菜の和えものにも。また、ふろふき大根やえびいもの煮もの、焼きがきなどにかけていただくこともできます。

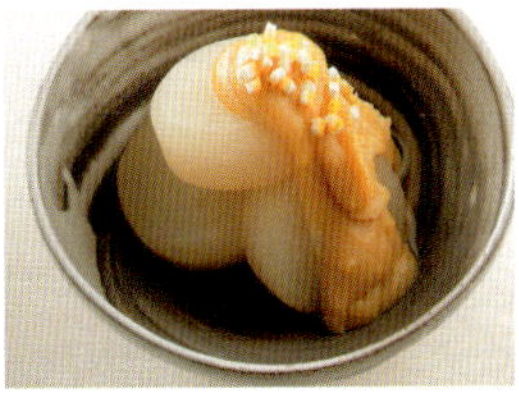

黄柚子の皮のすりおろし適量を、玉味噌100gに加える。

❸鍋に味噌を入れて❷を加え、火にかけて木べらで混ぜながら7分ほど練る。強火では焦げるので、中火より弱めがよい。

❹なめらかになったら、火を弱める。焦げやすくなるので注意しながら、鍋の周囲についた味噌もこそげ落とす。

❺木べらで混ぜたときに、鍋底が見えるくらいの堅さまで練り続ける。

❻すくってもだれない程度になったら、練り終わり。冷まして、ふたつき容器などに入れて保存する。

緑野菜のごまクリームがけ

だしを充分に含ませた野菜にかかる、濃厚なごまクリーム。ごまの香気とコクが口中に満ちます。

材料（2人分）

- オクラ……2本
- グリーンアスパラガス……2本
- さやいんげん……2本
- スナップえんどう……2本
- 塩……適量
- 八方だし（→p.13）……$2\frac{1}{2}$カップ
- ごまクリーム（作りやすい量。大さじ4を使う）
  - 練り白ごま（瓶詰）……大さじ4
  - 煮きり酒……$\frac{1}{4}$カップ
  - 醤油……大さじ$\frac{1}{2}$
  - 砂糖……小さじ1強

直伝！ おいしく作るコツ

ごま和えの衣にはいりごまをすって調味する場合もありますが、今回はワンランク上のおいしさが味わえる練りごまタイプをご紹介します。衣はかけて混ぜながら食べていただくことで、ごまの味も素材の持ち味も引き立ち、味の濃淡が生まれ、食べるごとに違う味わいが楽しめます。ごまクリームは日もちするので、多めに作って冷やし中華のごまだれに、オリーブ油を加えてドレッシングに、ポン酢と合わせてしゃぶしゃぶのたれにどうぞ。

1 ごまクリームを作る

すり鉢に練りごまを入れて、煮きり酒を少しずつ加え混ぜる。一度に加えると分離する。

2

醤油少量を加えて混ぜ、次は酒を加えて混ぜ、醤油、酒を交互に加える。

3

途中、堅くなるが混ぜ続ける。

4

なめらかになったら味をみながら砂糖も加え、とろりとした状態にする。このうち大さじ4を使う。一連の作業はフードプロセッサーを使うと分離しにくい。

5 具を用意する

オクラに塩をふってもみ、ガクを切り落として形を整える。なり口の部分に、火が通りやすいよう隠し包丁を入れる。

6

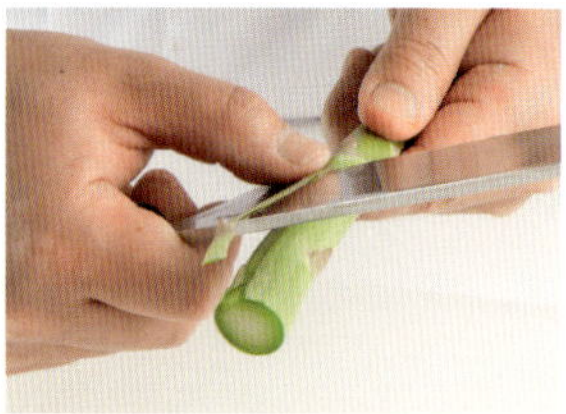

グリーンアスパラガスは根元から5cm分を切り落とし、根元側の堅い皮をむく。さやいんげんはなり口の部分を折り取る。スナップえんどうは筋を除く。

7

湯を沸かして塩を加え、5、6の野菜をそれぞれさっとゆでて氷水にとる。冷めたら水気を拭き取る。

8 仕上げ

八方だしに野菜を浸す。ペーパータオルをかぶせて30分～1時間おく。アスパラガスは軸を縦半分に、穂先は斜め切りし、ほかの野菜も斜めに切ってざっと混ぜ、汁気をきって器に盛る。4をかける。

器／黒田泰蔵

鶏ささ身、うどの梅肉和え

美しい色合い、さわやかな酸味の梅肉和えは、春から夏向きの和えもの。具は衣の色が引き立つ素材を選びます。

材料（2人分）

うど	$\frac{1}{3}$本
酢	少量
八方だし（→ p.13）	180mℓ
鶏ささ身※1	2本
塩・酒	各適量
梅肉衣（作りやすい量。大さじ1を使う）	
梅肉ペースト（瓶詰）※2	50g
煮きり酒	小さじ1
砂糖	小さじ$\frac{1}{2}$
醤油	小さじ$\frac{1}{4}$

※1　いか、たこ、帆立貝、みる貝なども合う。野菜はたけのこの姫皮でもよい。
※2　市販品の梅肉ペーストは製品によって塩分に差があるので、味を確認してから調味する。

直伝！ おいしく作るコツ

梅干しがあったら、種を取り、裏ごししてなめらかにし、自家製梅肉ペーストを作ってもよいでしょう。塩分濃度が梅干しによって違うので、味をみながら調味料を加減してください。

1　梅肉衣を作る

梅肉衣は、梅肉ペーストに煮きり酒、砂糖、醤油を加えて、なめらかになるまでよく混ぜる。

2　具を用意する

うどは皮をむいて3cmに切る。酢を加えた湯でさっとゆでて氷水にとり、縦四つ割りにする。小鍋に八方だしとうどを入れ、ペーパータオルをかぶせ、透明感が出るまで弱火で10分煮る。

3

バットに煮汁ごと移して15分おき、味を含ませる。

4

鶏ささ身は薄塩をして10分おき、酒少量をふる。バットや皿に入れ、よく蒸気の上がった蒸し器で10分蒸す。

5

冷めたら手で裂く。

6　仕上げ

梅肉衣大さじ1で、汁気をよくきった3と5を和えて器に盛る。

器／黒田泰蔵

あじといか、きゅうりの酢のもの

酢を水で割って砂糖を加えた「甘酢」で和えます。魚介ときゅうりがほのかな酸味を帯び、さっぱりとしてお箸がすすみます。

材料（2〜3人分）

甘酢（作りやすい量。大さじ1を使う）
- 酢……150mℓ
- 水……120mℓ
- 砂糖……30g
- だし昆布……3cm角1枚

あじ（三枚におろしたもの→p.166）……1尾分

あおりいか（さく）……20g

立て塩
- 水……$1\frac{1}{2}$カップ
- 塩……小さじ1
- だし昆布……4cm角1枚

きゅうり……1本

針生姜・紫芽……各少量

酢・塩……各適量

直伝！おいしく作るコツ

酢のものは、具の魚介を酢洗いや酢じめ、焼き霜などにし、野菜は塩もみして脱水や下味つけを行います。この下ごしらえのひと手間で甘酢の味がぼやけずに、おいしく仕上がります。魚に塩をふるときは、下に敷く塩は少なめでも大丈夫。上から浸透します。上からふる塩の量は、大きくて身の厚い魚やくせの強い青魚は多めで時間も長く、小さくて身の薄い魚は少なめで短時間が鉄則です。

1 甘酢を作る

酢、水、砂糖を合わせてよく溶かし、昆布を加え、一晩おいてまろやかにする。

2 具の下ごしらえ

バットに塩を薄く敷き、あじの皮目を下にして置き、上からも塩をふって1時間おく。身がつややかになり、ピンと張りも出る。

3

きゅうりは塩をまぶしてもみ、両端を切り落としてなり口側の堅い皮をむく。太さの約半分まで斜めに細かく切り込む。包丁の切っ先を常にまな板に当て、柄を上下に動かすとよい。

4

反対側からも同様に切り込み、蛇腹きゅうりにする。水に塩、昆布を加えて塩分2%の立て塩を作り、きゅうりを30分〜1時間浸す。水気を拭いて2.5cm長さに切る。

5

いかの裏表に斜め格子の切り目を入れ、金串を数本刺す。直火であぶり、片面にところどころ焦げ色がついたら裏返し、裏面はさっとあぶる。氷水にとって水気を拭き、一口大に切る。

6 あじの酢じめ

あじの小骨を抜く。2を流水に2〜3分さらして塩抜きし、水気を拭く。頭側を右、尾側を左にしてまな板に置き、頭のほうから、中骨のあった部分の両側を押さえながら骨抜きで引っ張る。

7

ほうろうなど耐酸性のバットに6のあじを並べ、あじにかぶるほどの酢をかけ、ペーパータオルをかぶせて15分おく。写真は15分おいた状態。

8 仕上げ

あじの頭側の皮をつまんで身を押さえ、尾のほうへ引っ張ってむく。皮面に斜め格子の浅い切り目を入れ、2cm幅に切る。具を盛り合わせ、甘酢大さじ$\frac{1}{2}$ずつをかけ、針生姜、紫芽をのせる。

器／藤平 寧

車えび、帆立、わかめの酢ゼリーがけ

かつおの旨みが加わった土佐酢は、飲めるほどのおいしさ。ゆるいゼリーにすると具にからみ、口の中で溶けて、酢のもののおいしさが存分に味わえます。

材料（2人分）

- 車えび……2尾
- 塩……少量
- 帆立貝柱（刺し身用）……1個
- 干しわかめ（水でもどしたもの）……20g
- 酢ゼリー（作りやすい量。約¼を使う）
  - 土佐酢
    - だし……1カップ
    - 米酢……½カップ
    - 醤油……大さじ1強
    - 砂糖……小さじ4
  - 板ゼラチン……8g

直伝！ おいしく作るコツ

ゼラチンは体温より少し高めの38～40℃くらいで溶けるので、土佐酢に溶かすときは沸騰させる必要はありません。むしろ酢の風味がとばないように、お風呂の温度より高い程度に温めます。活けえびや鮮度のよい帆立貝が手に入ったときは、生のおいしさをできるだけ生かすため、加熱は芯に少し生の部分が残っている程度に。さっと熱湯に通したり、あぶる程度でかまいません。

1 酢ゼリーを作る

板ゼラチンはたっぷりの水に浸してふやかす。鍋に土佐酢の材料を合わせ、ぬるま湯程度に温める。ゼラチンを加えて溶かし、こして平らな容器に入れ、1～3時間冷やし固める。

2 具を用意する

湯を沸かして塩を入れ、車えびをさっと20秒ほど（冷凍ものは芯まで）ゆで、すぐ氷水にとる。頭を取り、背わたも一緒に抜き、殻をむく。

3

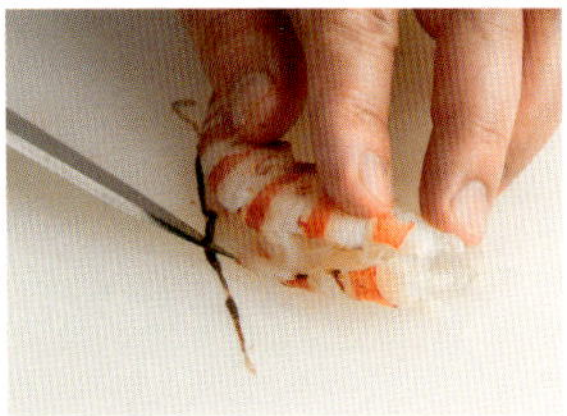

えびの背を包丁で開き、残った背わたや砂もていねいに除き、3㎝長さに切る。

4

帆立貝柱は串を2本打ち、直火で焦げ目がつくほどあぶり、裏面や側面もさっとあぶる（焼き霜）。すぐ氷水に入れ、水気をきって3等分する。

5

わかめは水洗いし、氷を入れた流水にさらし、水気を絞って一口大に切る。

6 仕上げ

車えび、帆立貝柱、わかめを盛り合わせる。**1**の酢ゼリーを泡立て器やフォークなどで細かくほぐして、適量をかける。

器／艸田正樹

かきの酒肴三種

生がきのポン酢醤油がけ
かきの芥子酢味噌がけ
焼きがき

フレッシュな生がき、さっとゆでたかき、焼きがき。
三通りのかきの香りや甘さ、口溶けなどの違いを味わうことができる贅沢な酒肴です。

材料（2人分）

生がきのポン酢醤油がけ

- 生がき（殻つき）……2個
- ポン酢醤油（→下記）……適量
- 大根おろし・粉唐辛子……各適量
- あさつき（小口切り）……少量

かきの芥子酢味噌がけ

- 生がき（殻つき）……2個
- 芥子酢味噌
  - 玉味噌（→p.44）……30g
  - 酢……大さじ1
  - 溶き芥子……小さじ$\frac{1}{4}$

焼きがき

- 生がき（殻つき）……2個
- みりん……大さじ2
- 酒……小さじ2
- 醤油……大さじ1
- 黄柚子の皮（あられ柚子）……少量

直伝！ おいしく作るコツ

殻を開けるときは、タオルなどを当てるほうがよいでしょう。かきは、加熱具合によって異なるおいしさが味わえるのも魅力です。生はつるんとした口あたりと潮の香り、ミルキーな旨み。それをさっと霜ふりしたものは、生のフレッシュ感がありながら旨みが濃厚になって、味噌と相性抜群。焼くとプリッとした食感になり、旨みがさらに濃くなって、醤油の香ばしさも加わり、よりおいしくなります。

1 かきの身を取り出す

かきのふた殻（平らな殻）を上に、幅が狭いほうを手前にして持つ。かきナイフの刃を向こう向きにし、殻の右中央から身殻（深い殻）との間に差し込んで貝柱をはずし、殻を開ける。

2 生がきのポン酢醤油がけ

むき身を身殻に盛り、ポン酢醤油の材料を合わせて大さじ1ずつをかける。大根おろしと粉唐辛子を混ぜたもみじおろしと、あさつきを添える。

3 かきの芥子酢味噌がけ

むき身を網杓子にのせて熱湯にさっとくぐらせて霜ふりにし、氷水にとり、水気をきる。身殻に盛り、芥子酢味噌の材料を混ぜ、適量をかける。

4 焼きがき

みりん、酒、醤油を合わせてかきのむき身を10分漬け、ふっくらしたほうを上にして焼き網でこんがり焼き、裏も返して焼く。漬け汁を刷毛で塗って乾かす。身殻に盛ってあられ柚子を散らす。

ポン酢醤油の作り方

柚子（またはだいだい）の絞り汁1カップ、酢70mℓ、醤油330mℓ、煮きり酒$\frac{3}{4}$カップ、煮きりみりん$\frac{3}{4}$カップ、だし昆布5cm角1枚を合わせ、削りがつお20gを加える。一日おいて味をなじませてこす。時間をおくことで丸みのある味になる。

生がきのポン酢醤油がけ

かきの芥子酢味噌がけ

焼きがき

酒肴だからこそ、素材の組み合わせにも味つけにも、
季節感を表現したいものです。奥田流の気のきいた肴の数々です。

四季の酒肴

春

よもぎ豆腐

若草色のごま豆腐からは、春の野草の香りが広がります。
なめらかな口あたりに、お酒がすすみます。

❶白ごまを一晩水に浸し、水気をきってフードプロセッサーでなめらかなペースト状にし、取り出す。別にⒶを合わせておく。白ごまペーストとⒶをそれぞれ$\frac{1}{5}$量くらいずつ混ぜ合わせ、フードプロセッサーにかけてなめらかにする。

❷❶の生地を木綿の布でこして鍋に入れ、昆布だしで溶いた葛粉を加える。火にかけて、中火で粘りが出るまで15分ほど練る。途中、焦げないように木べらで鍋底をよくかき混ぜる。

❸Ⓑを混ぜ、❷に加えてさらに練る。水でぬらした流し缶に流し入れ、氷水につけて缶の周囲を冷やし固める。

❹ごま豆腐のつゆは、鍋にだし、醤油、みりんを合わせてひと煮立ちさせ、冷ましておく。

❺よもぎ豆腐を流し缶から出してお好みに切り分け、器に盛る。つゆ適量をかけ、わさびを添える。

材料
（15cm×15cmの流し缶1個分）

- 白ごま……250g
- 葛粉……45g
- 昆布だし※1……適量
- Ⓐ
  - 昆布だし……$3\frac{1}{2}$カップ
  - 酒……80mℓ
  - 塩……小さじ$\frac{1}{3}$
- Ⓑ
  - よもぎペースト（冷凍）※2……50g
  - 酒……$\frac{1}{4}$カップ
- ごま豆腐のつゆ
  - だし……大さじ4
  - 醤油……小さじ2
  - みりん……小さじ2
- おろしわさび……少量

※1　鍋に水1ℓとだし昆布10gを入れ、水から火にかけ、沸いたら火を弱めて、あくを取りながらじっくり20分煮出し、昆布を取り出して冷ましたもの。

※2　ペーストは自然解凍する。自家製ならよもぎの葉をゆでて刻み、すり鉢ですって裏ごしする（またはフードプロセッサーにかける）。

鯛の子の含め煮

春に一瞬だけ出回る、貴重な鯛の子のやさしい甘みを生かして
薄味で煮含めます。ほろほろとほぐれる食感も魅力。

❶鯛の子は、紡錘状の両側に切り込みを入れて、皮つきのまま一口大のぶつ切りにする。

❷鍋に煮汁の材料を合わせて煮立たせ、鯛の子を入れてひと煮し、あくを除く。中火～弱火にしてペーパータオルをかぶせ、4～5分煮含める。火を止めてそのまま味を含ませる。

❸器に盛って煮汁を少量かけ、針生姜と木の芽を天盛りにする。

材料（作りやすい量）

- 生鯛の子……300g
- 煮汁
  - だし……540mℓ
  - 薄口醤油……大さじ4
  - みりん……大さじ4
  - 砂糖……小さじ2
- 針生姜……50g
- 木の芽……少量

万願寺唐辛子と じゃこの炒り煮

甘めの大きな万願寺唐辛子とじゃこの黄金コンビ。
初めにたっぷりの酒でふっくらと酒煮にすると、
柔らかく仕上がります。

❶万願寺唐辛子はなり口を切り、種を除いて小口切りにする。
❷小鍋または小さいフライパンにサラダ油を熱し、❶を強火で炒め、しんなりしたらじゃこを加えて酒を入れる。
❸混ぜながら火を通し、万願寺唐辛子が頭を出すほど酒が減ったら、醤油も加える。汁気がほとんどなくなるまで、鍋を回しながら汁をからめる。

材料（作りやすい量）

万願寺唐辛子	2本
じゃこ	30g
サラダ油	大さじ1
酒	1カップ
醤油	大さじ2

たこともずくの酢のもの

春から初夏にかけて採れる繊細で柔らかい生もずくを、
自家製の上品な土佐酢で。
ゆでだことのコンビが食感を引き立てます。

❶もずくは汚れたものを除き、3cm長さに切ってざるに入れ、水洗いをして水気をきる。鍋に湯を沸かしてさっとゆで、ざるにとって流水でさらし、水気をしっかりきる。
❷土佐酢の材料と針生姜を混ぜ合わせ、もずくを1時間漬ける。漬けておけば3日ほど日もちする。
❸器にもずくを漬け汁ごと盛り、ゆでだこをのせる。

材料（作りやすい量）

生もずく（絹もずく）	80g
ゆでだこの足（1cm厚さ）	4切れ
土佐酢	
だし	1/2カップ
酢	1/4カップ
醤油	小さじ2
砂糖	小さじ1
針生姜	少量

夏

秋

鯛の昆布じめと
イクラのおろし和え

さっぱりといただけるおろし和えも、具が昆布じめの鯛なら、
極上の酒肴になります。すだちで、さわやかな酸味をきかせて。

❶三つ葉はさっとゆでて氷水にとり、2㎝長さに切る。
❷鯛はそぎ造りにする。
❸ボウルに材料すべてを混ぜ合わせ、器に盛る。

材料(2人分)

鯛の昆布じめ（→p.70）……30g
大根おろし（水気を絞ったもの）……30g
醤油・薄口醤油……各小さじ1/2
おろしわさび……少量
三つ葉の軸……2～3本分
醤油漬けのイクラ……大さじ1/2
すだちの絞り汁……1/4個分

松茸のフライ

松茸好きのかたなら、なんといってもこのフライ。
塩とすだちのシンプルな食べ方で、
シャキッとした歯ごたえの松茸を堪能できます。

❶松茸の根元を鉛筆のように削り、ペーパータオルでやさしく払って土や汚れを落とす。笠に十文字の切り目を入れ、縦4つに裂く。
❷松茸に小麦粉、溶き卵、パン粉の順で衣をつけ、170℃に熱した揚げ油で揚げる。
❸油をきって器に盛り、すだちと塩を添える。

材料(2人分)

松茸（70gのもの）……1本
小麦粉……適量
溶き卵……1個分
生パン粉……適量
揚げ油……適量
すだち・塩……各適量

数の子とわかめ、水菜のおかか和え

お正月に残った数の子は水菜とともにかつお節で和えましょう。
ほどよい塩辛さ、シャキシャキ、コリコリの歯ざわりに
お箸が止まりません。

❶塩数の子は流水によくさらして塩抜きし、薄皮をむいて水気を拭き、一口大に切る。ボウルに入れて、薄口醤油で洗い（醤油洗い）、汁気をきる。Ⓐを合わせて、数の子を1時間浸す。
❷湯を沸かして塩を加え、水菜を20秒ほどゆでて氷水にとる。水気を絞って3cm長さに切る。八方だしに水菜を浸し、ペーパータオルをかぶせて15分おく。
❸干しわかめは氷水に入れて流水にさらし、もどす。水気をきって一口大に切る。
❹❶の汁気をきってほぐし、ボウルに入れる。水菜の汁気をきり、わかめ、削りがつおとともにさっくりと混ぜ、器に盛る。

材料（2人分）

塩数の子……………………………2本
Ⓐ｛だし……………………2カップ
　 薄口醤油………大さじ$4\frac{1}{2}$
水菜…………………………………$\frac{1}{10}$束
八方だし（→p.13）……1カップ
干しわかめ（もどしたもの）…15g
削りがつお……………ひとつまみ
塩・薄口醤油……………… 各適量

なまこのこのわた和え

冬の珍味の代表「なまこ」のわたを
塩辛にした「このわた」で共和えに。
シンプルながら、左党にはたまらない味。

このわたは、まな板にとって包丁でたたく。生なまこをこのわたで和えて器に盛る。

材料（2人分）

生なまこ（薄切り）…………… 40g
このわた（なまこのわたの塩辛。瓶詰）……………………大さじ2

冬

山菜の代表

わらびのあく抜き

教えて！奥田料理長

わらびは春に採れる数ある山菜のなかでも、若芽の形の愛らしさ、香り、味わいと三拍子そろった、王者のような存在。口にした瞬間はシャキッとした歯ざわりですが、噛むうちにとろりとしたぬめりが、ほのかな香りとともに広がります。ほんの一時期だけの山菜なので、春になったらぜひ味わいたいものです。

スーパーにはあく抜きしたわらびも売られていますが、生わらびが手に入ったら、ぜひ自分であく抜きも楽しんでみてください。わらびの皮はむけやすいので、湯の温度に気をつけながら行いましょう。

材料（作りやすい量）

わらび ……… （10本入り）4束
木灰※…………………………20g

※木やわら、炭を燃やしてできる灰。アルカリ性で、植物の繊維を柔らかくし、緑色を鮮やかにする効果がある。

❶ボウルにわらびを入れて木灰をふりかける。

❷80℃の湯をかぶるくらいまで回しかける。

❸ラップできっちり覆う。

❹全体をアルミ箔で包んで保温し、一昼夜おく。

❺流水を細く流して、水がきれいになるまでさらす。これで「ゆでわらび」の完成。冷めたら、ふたつきの容器などで冷蔵すると、2～3日もつ。

「炊きわらび」にするなら

わらびの芽の部分は、ごま和えや白和え、山菜ご飯などに、堅い軸の部分は刻んで味噌汁の実などに使うとよい。いずれもわらびに下味をつけた「炊きわらび」にしておくと、すぐに使える。

炊き方は、まず「ゆでわらび」の芽の部分を4㎝長さに切り、軸も3～4㎝長さに切る。水から入れてぐらっと沸かして不純物を落とし、ざるに上げてあおいで冷ます。鍋に「だし14：みりん1：薄口醤油1」の割合で沸かして「ゆでわらび」を入れ、再度沸いたらあくをすくい、すぐに鍋ごと氷水に入れ、ペーパータオルをかぶせて冷ます。ことことと長く煮たり、熱い煮汁に入れたままおくと、わらびの皮がむけるので注意する。

憧れのプロの技と粋

刺し身
椀もの

包丁使いの技とキレが大切な刺し身は
家庭料理ではなじみが薄いかもしれませんが、
基本はぜひ覚えておきたいもの。
何度か試して、上達するものです。
料理店で、刺し身と並ぶ献立の華が「椀もの」。
作れるようになると
おもてなしに、特別なときに、
きっと褒められることでしょう。

PART 3

刺し身で大切なこと

1 刺し身用の包丁は？

プロの料理人なら「柳《やなぎ》刃《ば》包丁」が一般的です。先端が尖って幅が狭い片刃の包丁で、魚の組織をこわさないよう刃そのものが薄く、刃元から刃先までを使って切るので刃渡りが長いのが特徴です。ご家庭用では、魚をおろしたり堅い骨を切る厚手の出刃包丁や万能の三徳包丁を使うかたが多いかもしれませんが、刺し身好きなら柳刃包丁をそろえるとよいでしょう。

左が柳刃包丁、右が出刃包丁。

2 包丁の持ち方と姿勢

刺し身は包丁を刃元から入れて手前に引き、刃先まで使って切ります。ひじを後ろにスムーズに動かすため、体を調理台から10cmほど離し、右足は少し後ろに引いて斜めに構えます。包丁の持ち方にも留意を。柳刃包丁も出刃包丁も、まず柄を中指、薬指、小指の３本でしっかり固定すること。親指は添え、人差し指は峰に当てるだけ。包丁と人差し指とを固定するような感覚です。これで刃先の方向が定まり、後ろに自由に引けます。そして手首だけ動かすのではなく、腕全体で引きます。

包丁の峰の部分に人差し指を当てて持つことが大切。

3 赤身魚、白身魚それぞれに合った切り方を

魚の身質が柔らかいか堅いか、身が厚いか薄いかなどで切り方を変えます。まぐろやかつおなどの赤身の魚は身が柔らかく、薄切りにすると歯ごたえがなくなるので、平造り（→p.64）や角造り（→p.70）など厚く切るのが一般的。一方、鯛やひらめのような白身魚は、身がプリプリとして歯ごたえがあるので、そぎ造り（薄造り→p.64）にします。またひとつのさくの中でも、身が薄い部分では包丁を寝かせ、身が厚くなったら包丁は立てるなど、１切れの大きさがそろうようにします。あじなどの青魚は赤身魚と白身魚の中間の性質なので、平造りや細造りが適します。

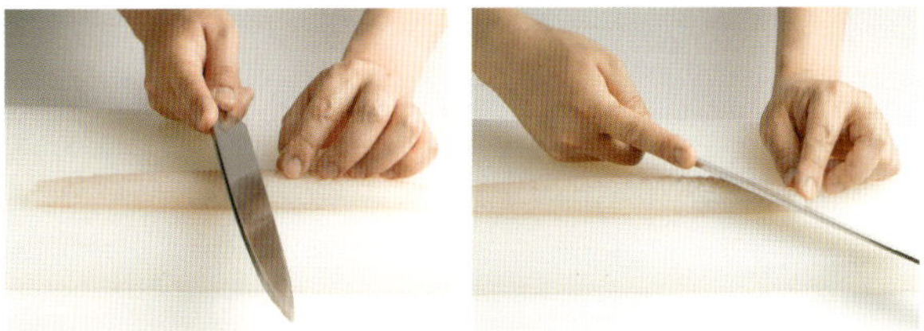

鯛やひらめのさくは、部分によって身の厚さが違う。両端の身の薄い部分は包丁を寝かせ（写真右）、中央の厚い部分では包丁を立てぎみにする（写真左）。

4 種類や切り方の違う刺し身を盛る

刺し身の盛り方には一種盛りと、二種盛り、三種盛り、多種盛りなどがあります。二種以上盛りでは、魚の種類、身の色、切り方の違うものを盛り合わせるのが理想的。その違いを際立てながら、少しずらして重ね、「けん」「つま」（→p.82）などの野菜をあしらいながら盛り込みます。平皿に数種盛りする場合、奥には安定感のある濃い色の刺し身を小高く盛ります。手前は淡い色の魚、白身魚などを低めに。刺し身の数は奇数にするのが一般的で、わさびや生姜などの薬味は、取りやすい右手前に置きます。鉢盛りの場合は、切った面を上にして小高く重ねて盛るとよいでしょう。

平皿に三種を盛り合わせたもの。

かつおのたたきを重ねて鉢盛りに。

刺し身三種盛り

まぐろの平造り　ひらめのそぎ造り　鯛の松皮造り

まぐろのとろりとした味わい。
ひらめの歯ごたえ。皮まで味わいたい鯛。
それぞれの魚の特徴を生かした刺し身の盛り合わせは、
ご馳走の食卓にもどうぞ。

材料（4人分）

まぐろ（さく）……100g
ひらめ（さく）……100g
鯛（皮つきのさく）……100g
つま野菜（→p.82）※
　きゅうりのせん切り・くりぬきのきゅうり・
　白髪大根・くりぬきの長いも・
　ラディッシュの薄切り……各適量
おろしわさび・醤油……各適量
ガーゼ……30㎝×15㎝ 1枚

※それぞれ冷水にさらして水気をきっておく。

直伝！ おいしく作るコツ

刺し身を二種以上盛り合わせるときは、赤身の魚、白身の魚、いかや貝など、色や味わいの違う魚介を用意します。味の違い、食感の違いを楽しむことができ、お刺し身好きにはたまりません。松皮造りとは、鯛の皮を松の木の皮に見立てて名づけられたもので、堅い皮までおいしくいただけるよう皮目に湯をかける手法です。皮と身の間のゼラチン質まで、おいしくいただけます。

1 まぐろを平造りにする

まぐろのさくをまな板の手前側に置く。柳刃包丁（または出刃包丁）を右端から7～8㎜幅に垂直に切り下ろし、刃渡り（→p.13）全体を使って手前へ引き切る。繊維に直角に切ることになる。

2

刺し身は刃先で右のほうに送る。切るたびに行い、刺し身を重ねてゆく。

3 ひらめをそぎ造りにする

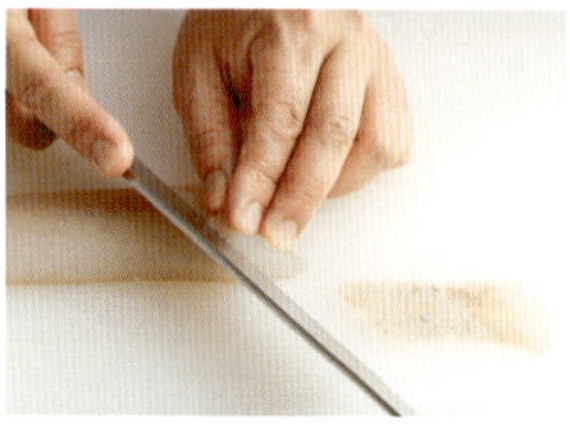

ひらめのさくをまな板に頭側を左に、厚い（高い）側を向こうにして置く。包丁を右側に寝かせぎみにし、左端から3㎜厚さに内側へそぎ切る。切り離すほうの身を左手で軽く押さえながら行うとよい。

4

切り終わりに包丁を垂直に立てて切っ先で切り離す。さくの厚みが部分によって違う場合、そぎ造りでは身の薄いところは包丁を寝かせ、身の厚いところは包丁を立てると大きさがそろう。

5 鯛を松皮造りにする

皮目を上にしてざるにのせる。

6

鯛にガーゼをかぶせ、上から熱湯をまんべんなく注ぐ。鯛の表面が白くなる（湯霜）。ガーゼは湯を均一に入れながら、鯛に熱が入りすぎるのを防いでくれる。

7

すぐに氷水にとり、余熱を止める。水気をしっかり拭く。

8

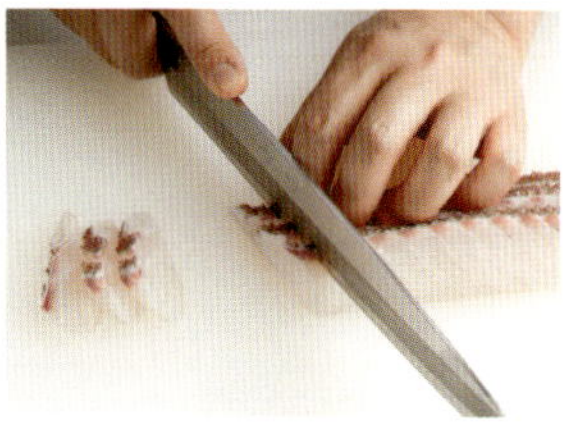

鯛の皮目を上にしてまな板に置く。皮に縦に3本の切り目を入れ、右端から7～8㎜幅に垂直に切り下ろし、刃渡り全体を使って手前へ引き切る。

器／黒田泰蔵

9 盛りつける

皿の奥にまぐろを、右にひらめを盛ってつま野菜を配する。鯛も盛る。くりぬきの長いもやきゅうりを散らし、わさびを右手前に添える。

いかのお造り二種

細造りの塩昆布和え
鹿の子造り

巧みな切り方で歯ごたえを堪能できる刺し身と、
塩昆布で和えて甘みを引き立てた刺し身。
いかを存分に味わう、切り方違いの二種です。

材料（4～5人分）

するめいか（開いて皮をむき縦半分に切ったもの。→p.168）…2枚（1ぱい分）
塩昆布（潮吹き昆布）…………………… 20g
つま野菜（→p.82）※
　きゅうりのせん切り・青じそのせん切り・花穂じそ ………………………… 各適量
おろしわさび・醤油…………………… 各適量

※それぞれ冷水にさらして、水気をきっておく。

直伝！ おいしく作るコツ

いかの切り方を変えて、おいしさの違いを味わっていただく二種盛りです。いかは包丁を入れると表面積が増えて旨みや甘みが強く感じられます。「鹿の子造り」では表面積がさらに広くなっていっそう噛みやすくなり、旨みも広がります。

1　細造りにして塩昆布で和える

するめいか1枚は縦半分に切り、幅の広いほう（足側）を右に、内側を上にしてまな板に置く。包丁の刃先を立て、右端から5mm幅に引きながら切って細造りにする。

2

ボウルに**1**を入れ、塩昆布で和える。

3　鹿の子造りにする

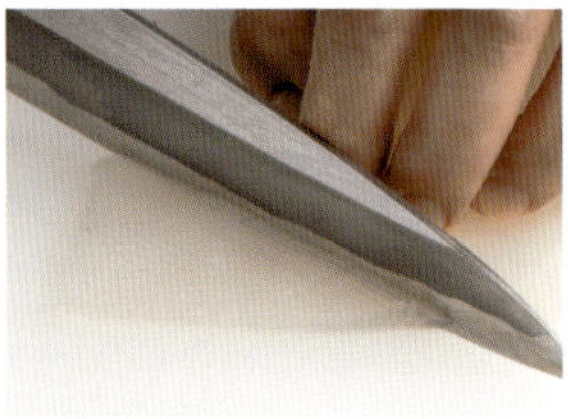

するめいか1枚は縦半分に切り、幅の広いほう（足側）を右に、内側を上にしてまな板に置く。包丁を少し寝かせ、身の厚みの⅔の深さまで3mm幅に斜めの切り目を入れる。

4

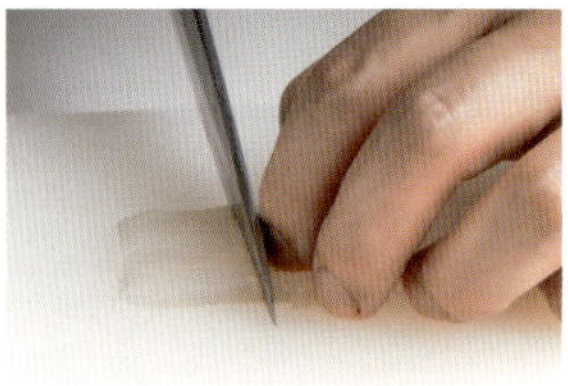

ひっくり返して、**3**と交差するように斜めに切り目を入れる。これを縦に5cm幅に切ってから、小口から4cm幅に切る。

5

4を二つ折りにして、切り目を美しく開かせる。

6　盛りつける

二つ折りにした鹿の子造りを重ねて盛る（重ね盛り）。その隣に、細造りの塩昆布和えをこんもりと盛る。きゅうり、青じそ、花穂じそをあしらい、わさびを添える。

器／藤平 寧

あじのたたき

家庭的なあじのたたきは薬味野菜とともに細かく切りたたきますが、ここでは、あじの歯ごたえも生かした太めの細造りにします。たっぷりの薬味が青魚の旨みを際立てます。

材料（2人分）

あじ（三枚におろしたもの。→p.166）……………………1枚

薬味※

- 青じそのせん切り……………………1枚分
- 細ねぎの小口切り……………………1本分
- 生姜……………………適量

醤油……………………少量

※青じそ、細ねぎはそれぞれ冷水にさらして水気をきり、生姜はすりおろしておく。

直伝！ おいしく作るコツ

数種類の薬味を取り合わせますが、あじが旬を迎える初夏に出盛りになる生姜がポイントです。爽やかな香りで、あじの生臭さを消します。生姜は細かく刻んだ「あられ生姜」でも、おろし生姜の汁を絞った「絞り生姜」として使ってもいいでしょう。

1　あじの下ごしらえ

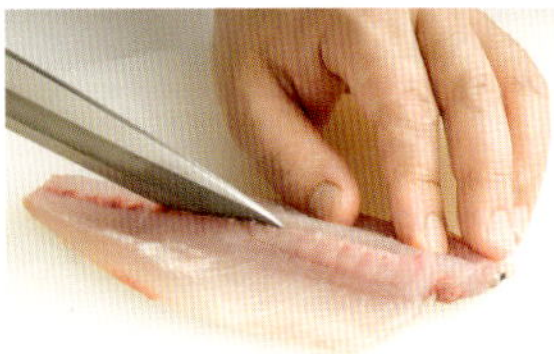

三枚おろしにしたあじを、包丁で縦に2等分し、さくどりする。中骨のついていた部分は、腹側につけて切る。

2

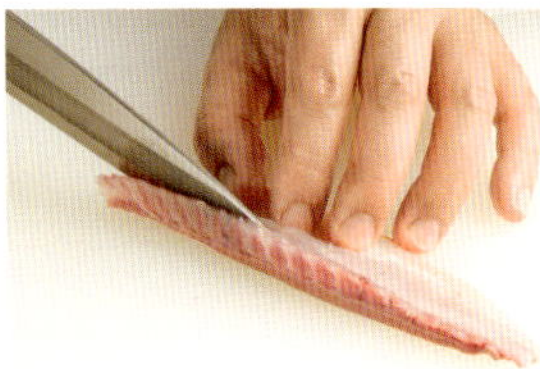

腹側のさくから、中骨の部分を切り落とす。

3

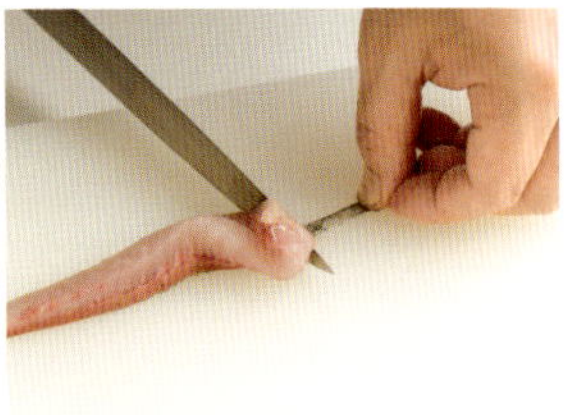

皮を下にしてまな板に置き、左手で皮をつまみ、包丁の刃を上に向けてしごきながら皮を引っ張ってむく。背側のさくも同様に皮をむく。

4　造りにして薬味と和える

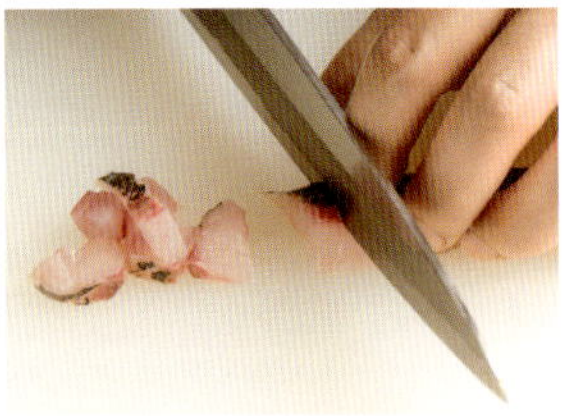

皮目を上に置き、包丁を引きながら右端から5mm幅に切る。

5　仕上げ

4をボウルに入れて青じそ、細ねぎを混ぜる。ボウルの中で山高に形を作り、そのまま器に盛る。生姜を天盛りにし、醤油をたらす。

猪口・徳利／艸田正樹

ひらめの昆布じめ

上品な白身魚に昆布の風味や旨みを移して味わい深くいただく手法。日もちもよくなります。

そぎ造り
細造り
角造り

材料（2人分）

ひらめ※1（さく）……………… 1本（$\frac{1}{4}$身分）
塩……………………………………………… 少量
だし昆布 …………………………30cm長さ1枚
酒……………………………………………… 少量
醤油…………………………………………… 適量
つま野菜（→p.82）※2
　白髪大根、菊花、大根おろし、穂じそ、
　　紫芽 ………………………………… 各適量
おろしわさび……………………………… 適量

※1　鯛を使ってもよい。
※2　菊花は花びらをむしり、酢（材料表外）入りの湯でゆでてざるに上げて冷まし、絞る。穂じそ、紫芽は冷水にさらし、水気をきっておく。

直伝！ おいしく作るコツ

昆布じめは白身魚だけに使う手法です。淡泊な白身の味に、昆布の旨み、風味が加わって、複雑なおいしさが生まれます。さくどりした魚で行うのが一般的ですが、切り身魚で作ってもかまいません。その場合、身が小さいので昆布じめする時間は1時間ほどで充分。なお、昆布は2～3回使えます。

1　昆布じめにする

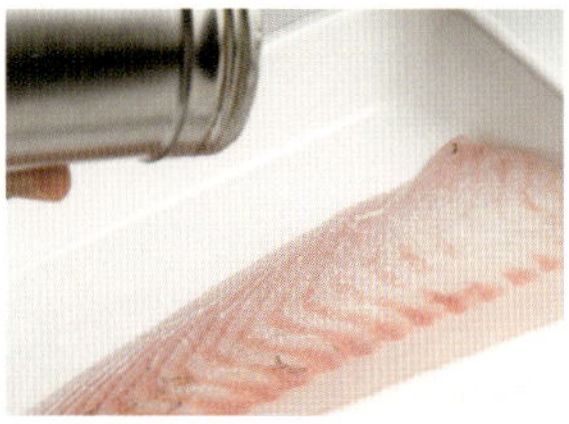

バットに塩をふり、ひらめを置いて上からも塩をふり、20分おく。バットはひらめの頭側を上にして傾け、水気を流れやすくする。

2

酒を含ませたペーパータオルで、だし昆布の片面を拭く。昆布の汚れを拭き取るとともに、酒の香りもつける。

3

ひらめからにじみ出た水気を拭き、だし昆布の酒拭きした面ではさんで、冷蔵庫で一晩おく。

4

一晩おいた状態。昆布に水分が吸収されてひらめはねっとりとした食感になり、旨みが凝縮する。

5　そぎ造りにする

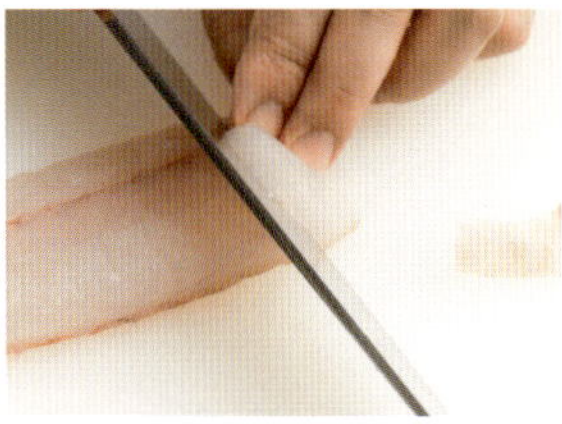

昆布じめにしたひらめの頭側を左、尾側を右、皮目を下にしてまな板の手前側に置く。包丁を寝かせぎみにし、左端から薄くそぎ切りにする。

6　細造りにする

そぎ造りにした5の切り身を、縦に細く3等分する。

7　角造りにする

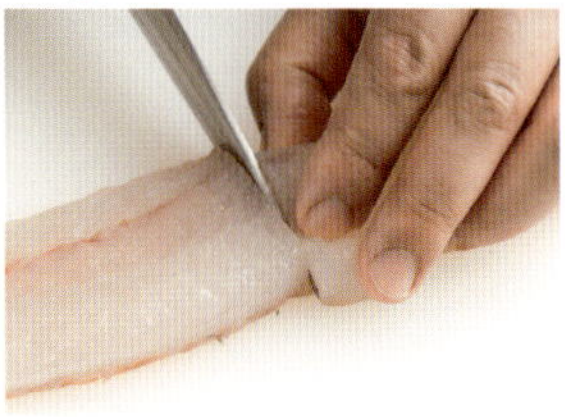

昆布じめにしたひらめの頭側を左に、尾側を右に、皮目を下にしてまな板の手前に置く。さくの左側から、包丁の刃渡り全体を使い、まっすぐに引いて切る。

8

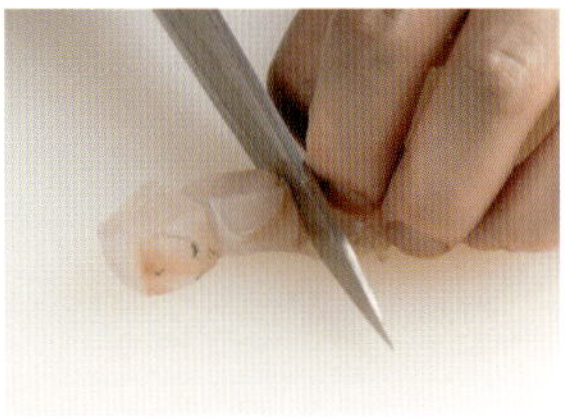

7の断面を上にして縦3等分の拍子木状に切ってから、角切りにする。

9 盛りつける

器の奥に白髪大根を置き、そぎ造り、細造り、角造りをそれぞれ重ね、山高に盛る。菊花と大根おろしは小さくまとめ、紫芽とともに色のバランスをみながら添える。穂じそとわさびも添える。

器／藤平 寧

教えて！奥田料理長

刺し身でアレンジ 手まりずし

刺し身はそのままいただくのが一番のご馳走ですが、そぎ造りにした刺し身があれば、愛らしい姿の「手まりずし」が手軽に作れます。魚の酢じめや昆布じめを、多めに作って食べ分けてもいいでしょう。

手まりずしは色鮮やかな魚介を具に使えばぐっと華やかに仕上がり、おもてなしにも喜ばれます。

材料（5個分）

すしめし（→p.150）……75g
あじ（三枚におろしたもの→p.166）…2枚
鯛のそぎ造り（→p.64）……1切れ
生鮭のそぎ造り（→p.64）……1切れ
きす（三枚におろしたもの→p.166）…2枚
だし昆布……15cm長さ1枚
車えび……1尾
塩・酢……各適量
甘酢生姜（→p.152）……適量
ガーゼ……20cm四方1枚

❶あじは塩をふって10分おき、洗って小骨を抜き、酢をかけて15分おく。鯛と生鮭はそれぞれ塩少量をふって5〜10分おき、酢じめにしたあじとともにそぎ造り（→p.64）にする。きすは昆布じめにする（→p.70「鯛の昆布じめ」参照）。車えびは串を打って塩ゆでし、殻と背わたを除いて開く。

❷ガーゼをぬらして水気をしっかり絞り、生鮭を置く。すしめし1/5量を軽く握ってのせる。

❸ガーゼを絞って茶巾にする。ほかの魚もすべて同様に作る。5種類の手まりずしを盛り、甘酢生姜を添える。

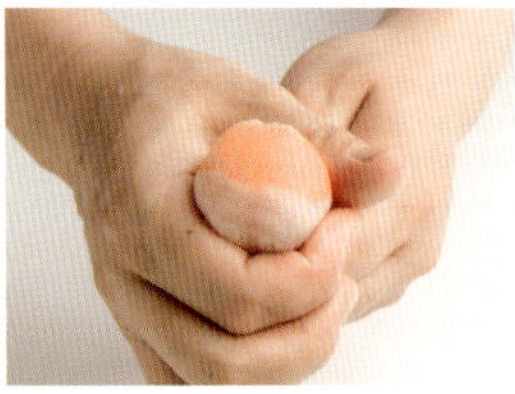

かつおのたたき

あぶることで皮と身の間の脂が溶け、甘みが引き出されます。内側の生の食感と、周囲のあぶった風味とのコントラストも、たたきならでは。

材料（6〜7人分）

かつお（さく）……1本（700g）

ポン酢醬油（作りやすい量。1/4を使う）※1

- 柚子またはだいだいの絞り汁……1カップ
- 酢……70mℓ
- 醬油……330mℓ
- 煮きり酒・煮きりみりん……各3/4カップ
- だし昆布……5cm角1枚
- 削りがつお……20g

たたき薬味（作りやすい量）※2

- 長ねぎ……1/2本
- みょうが……3個
- 青じそ……10枚
- ラディッシュ……2個

※1　ポン酢醬油は、材料を合わせて1日おいてからこす（→p.54）。

※2　たたき薬味は、長ねぎ、みょうが、青じそをごく細いせん切りにし、ラディッシュは薄切りにして、合わせて冷水に放し、パリッとさせ、水気をきっておく。

1 かつおのさくを皮目を下に、血合いを手前にして、まな板に置く。金串5本を末広に刺す。

2 皮目を下にして強火の直火であぶる。火に当てる際はむやみに動かさず、1か所を焦げ目がつくまで焼いたら次の部分を焼く。

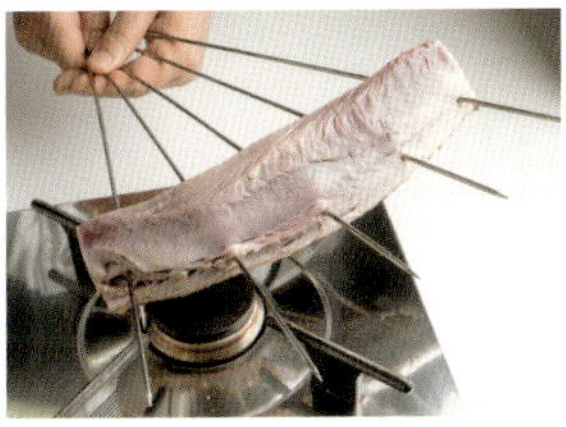

3 皮目全体に焦げ色がつき、まわりが白っぽくなったら氷水につけ、冷めたら串を抜いて水気をよく拭く。皮目を下にしてまな板に置き、左端から、出刃包丁を寝かせぎみにして内側へ薄くそぎ切る（そぎ造り）。

4 切り口を上にし、交互にずらしながら重ねて山高に盛る。右手前にたたき薬味を添え、上にも散らす。ポン酢醬油をかける。

直伝！おいしく作るコツ

皮目から焼くので、焦げ目がつくほどよく焼いても、内部はちょうどよく半生になります。かつおは旨みが強いので、たっぷりの薬味と一緒に、おいしいポン酢醬油でいただきます。

しめさば

八重《やえ》造り

ほのかな酸味と旨み、なめらかな口あたり。
塩でしめて脱水後、酢でしめておく、この2段階を経ると、
生のさばとはまったく別物に変身します。

材料(5〜6人分)

さば(三枚におろしたもの→p.166) ※1 ……1枚(160g)
粗塩 ※2 ……適量
酢 ……適量
つま野菜(→p.82) ※3
　菊花・紫芽 ……各適量
おろしわさび・醤油 ……各適量

※1 「まさば」がよい。「ごまさば」はしめさばには向かない。
※2 精製塩ではなく、結晶が大きくて粗い塩。
※3 菊花は花びらをむしり、酢入りの湯でゆでてざるに上げ、冷まして水気を絞る。紫芽は冷水にさらし、水気をきっておく。

直伝! おいしく作るコツ

しめさばは、一般に「塩3時間、酢30分」などといわれ、それぞれしめる時間を指します。今回のようにさばが小さめの場合は、塩じめは2時間を目安にします。しかし、しめさばの酢じめ加減には好みがあるもの。いろいろ時間を試してみて、調整してください。しめさばは1切れの真ん中に切り目が入った「八重造り」にしますが、これは皮が堅くて身が柔らかい、さばやかつおなどに向く切り方です。

1 さばの下ごしらえ

バットに塩をふる。

2

さばの皮目を下に、身側を上にしてバットに置き、さばが見えなくなるくらいの多めの塩(強塩《ごうじお》またはべた塩)をふる。手で塩を押さえてなじませ、バットを少し斜めにする。

3

身側に塩をふり終わった状態。身が薄い腹の部分は少なめにふる。このまま室温で2時間おき、脱水させる。

4

写真は2時間後。さばは飴色に変化している。

5

塩を落とし、流水を12〜13分間細くかけ流して塩抜きし、水気をしっかり拭く。身の中央に残っている小骨を、骨抜きで頭側から順につまんで抜く。

6 酢じめにする

バットにさばの皮目を下にして置き、かぶるくらいの酢をかけ、ペーパータオルをかぶせて20〜30分おく。

7

さばを引き上げて汁気を拭き、皮目を上にしてまな板に置く。頭側の端から皮をつまんで、尾側に向けて引っ張ってむく。

8 八重造りにする

頭側を左に、皮目を上にしてまな板に置く。包丁で尾のほうから約3mmのところに切り離さない程度に深い切り目を入れ、さらに約3mm左側で切る(八重造り)。これをくり返す。

9 盛りつける

皿にしめさば３切れを盛り、その上に３切れをずらしぎみに重ねる。菊花を山高にまとめて添え、紫芽、わさびの順に添える。小皿に醤油を入れて添える。

刺し身と並ぶ、料理店の華

憧れの椀もの

えびの葛たたき椀

葛の衣をまとったえびは透明感とつややかさを身につけて、姿も色彩も華やかな椀だねになります。お祝いごとの席にもふさわしいお椀です。

材料（2人分）

車えび	2尾
塩	適量
葛粉	適量
吸い地（八方だし→p.13）	$2\frac{1}{4}$カップ
大根の含め煮	
大根（3cm厚さの輪切り）	2枚
Ⓐ だし	$1\frac{1}{2}$カップ
Ⓐ 塩	小さじ$\frac{1}{3}$強
Ⓐ 薄口醤油	小さじ$\frac{1}{2}$
Ⓐ だし昆布	3cm角1枚
しいたけ	2枚
さやいんげん	2本
黄柚子の皮（松葉柚子）	2個

直伝！ おいしく作るコツ

えびを包む透明な葛は、時間がたったり、冷やしすぎると透明感を失います。そこで段取りが大切になります。まず大根やしいたけの含め煮を作っておき、いただく直前に、えびに葛をまぶしてゆでるようにしましょう。湯から引き上げたあとは、水に入れて冷やしてはいけません。

1 下ごしらえ

大根は皮を厚めにむいて亀甲形（六角形）に切る。鍋にⒶと大根を入れてペーパータオルをかぶせ、含め煮にする。しいたけは軸を切って吸い地150mlで含め煮にする。さやいんげんはゆでて半分に切る。

2 えびの葛たたきを作る

車えびは頭を取り、尾を残して殻をむく。背開きにし、背わたをていねいに除く。縦に切り目を2～3本入れると、ゆでたときに反らず形よく仕上がる。塩をふって5分おく。

3

車えびの水気を拭いて手早く葛粉をまぶし、余分な粉を払い落とす。

4

鍋に1ℓの湯を沸かし、車えびを入れる。30秒ほどたったら網杓子で引き上げる。

5 盛りつける

亀甲大根をお椀の底に置き、えびはきれいな色が目立つように尾を手前にしてのせる。しいたけとさやいんげんを右側に立てかけ、残りの吸い地を温めて注ぐ。吸い口の松葉柚子をのせる。

日本料理の献立では、「お椀」と「刺し身」が特に大切とされます。「椀刺し」を見れば、その店の格や料理人の技量、センス、心遣いなどのすべてがわかるともいわれます。

「刺し身」には包丁の技に加え、魚の目利き、盛りつけの技などが表れます。

「お椀」は刺し身の前に出される献立の主役です。ふたを取った瞬間、上品なだしの香りが立ち上り、彩りが目に飛び込んでくる贅沢な一品。その美しさは感動的で、日本料理の神髄である季節感が表現されるご馳走です。椀だね（主役）、椀づま（脇役）、青み（季節の葉野菜）、吸い地（汁）、吸い口（季節の香味野菜）の5つから成り、吸い地はすまし仕立てのほか、季節や椀だねによって潮仕立てや薄葛仕立てにすることもあります。なおこの本では、吸い地は「八方だし」と同じものを使っています。

この華やかなお椀のいくつかを教えていただきましょう。ひとつひとつ、ていねいに作れば家庭でもできる料理です。

帆立しんじょ椀

帆立の2通りのおいしさを存分に味わえます。
帆立しんじょ生地はフワッと柔らかく、
中に練り込んだ帆立の角切りには歯ごたえがあります。

材料（2人分）

帆立しんじょの生地（5個分。2個使う）

- 帆立貝柱※1……100g
- 卵黄……1個
- サラダ油……60mℓ
- 白身魚のすり身（市販品）※2……100g
- 塩……小さじ$\frac{1}{6}$

吸い地（八方だし→p.13）……$2\frac{1}{4}$カップ
しいたけ……2枚
干しわかめ※3……5g
木の芽……適量

※1　えびや、あおやぎの貝柱（小柱）、生の桜えびなどでもよい。
※2　白身魚のすり身なら、魚はなんでもよい。
※3　流水にさらしてもどしておく。

直伝！ おいしく作るコツ

帆立貝柱は、生のものを刻んでしんじょ生地にしてもかまいませんが、直火で表面だけを焼くとぐんと旨みや甘みが出ます。また、焼き色がしんじょ生地の景色にもなります。手間がかかるしんじょ生地は、多めに作ったら冷凍しておくと便利です。1個ずつラップで軽く包み、冷凍用密封袋に入れて冷凍してください。

1　しんじょ生地を作る

帆立貝柱に金串2本を末広に刺し、直火で、両面に焦げ目がつく程度にさっとあぶる。氷水にとって水気をきる。

2

1を1.5cm角に切る。

3

ボウルに卵黄を入れてサラダ油を少しずつ加え、泡立て器でマヨネーズ状になるまで混ぜて卵の素を作る。すり身をフードプロセッサーにかけてなめらかにし、卵の素も加えて均一にする。

4

別のボウルに2と3を合わせ、塩を加えてゴムべらなどで混ぜる。10等分して、1個約50gにする。

5

蒸し器に入るバットにペーパータオルを敷く。4の生地を1個ずつとって、両手でやりとりして空気を抜きながら丸くまとめる。バットに重ならないように並べる。

6　蒸す

5を蒸し器で、強火で10～15分蒸す。この間に、しいたけは吸い地150mℓで含め煮にし、わかめは食べやすく切る。

7　盛りつける

お椀に帆立しんじょを盛り、しいたけとわかめを添える。残りの吸い地を温めて注ぐ。吸い口に木の芽をあしらう。

たけのこしんじょ椀

しんじょ生地に練り込んだたけのこペーストと、角切りたけのこ。上にのせた姫皮。たけのこの3通りの食感に感動するうえ、香りも堪能できる技ありのお椀です。

材料（2人分）

たけのこしんじょの生地（6個分。2個使う）
- ゆでたけのこ（→p.132）……$\frac{1}{2}$本（120g）
- Ⓐ
  - だし……$1\frac{1}{2}$カップ
  - 薄口醤油……小さじ4
  - みりん……小さじ4
  - 酒……小さじ4
  - だし昆布……2cm角1枚
- 卵黄……1個
- サラダ油……大さじ4
- 塩……ひとつまみ
- 白身魚のすり身※1……130g

たけのこの姫皮（→p.132）……適量
炊きわらび（→p.60）……適量
吸い地（八方だし→p.13）※2……適量
たらの芽※3……4本
木の芽……少量

※1　白身魚なら魚はなんでもよい。
※2　吸い地（八方だし）はたけのこの姫皮用、わらび用、たらの芽用にそれぞれひたひたの量を使い、お椀用に$1\frac{1}{2}$カップを使う。
※3　ゆでて吸い地（八方だし）に浸しておく（→p.40）。

1 ゆでたけのこはⒶの煮汁で、弱火で約30分煮る。そのまま鍋の中で冷まし、味を含ませて汁気をきる（汁はとりおく）。$\frac{4}{5}$を小角切りに、$\frac{1}{5}$はフードプロセッサーにかけてペーストにする。

2 ボウルに卵黄を入れ、サラダ油を少しずつ加えてマヨネーズ状になるまで混ぜ、塩で味をととのえて卵の素を作る。

3 フードプロセッサーにすり身とたけのこペースト、2を入れて攪拌し、なめらかになったらボウルに移す。たけのこの小角切りを加え、ゴムべらで均一に混ぜ、1個約80gに6等分する。

4 蒸し器に入るバットにペーパータオルを敷く。3の生地を1個ずつ両手で空気を抜きながら丸くまとめる。6個作り、重ならないようにバットに並べる。

5 4を蒸し器で、強火で10〜15分蒸す。この間に、たけのこの姫皮は横にせん切りにし、小鍋に入れてたけのこを煮た汁でさっと煮る。

6 お椀にたけのこしんじょを盛り、姫皮の煮ものを山高くこんもりとのせる。炊きわらびと下味をつけたたらの芽を右手前に添え、温めた吸い地をはる。吸い口に木の芽をのせる。

甘鯛と松茸のお椀

秋の素材がお椀の中で出合う、
贅沢で華やかな一品。
柔らかな蒸し甘鯛に
松茸の風味がふわりと香り、
すだちの酸味が全体を引き締めます。

材料（2人分）

甘鯛の切り身(80gのもの)…2切れ
酒……大さじ2
松茸（70gのもの）……1/6本
吸い地（八方だし→p.13）……1 1/2カップ
さやいんげん……2本
すだち（輪切り）……4枚
塩……適量

1 甘鯛の皮目に細かい切り目を入れ、塩少量をふって10分おく。汁気を拭き、バットなどにのせて酒をふり、蒸し器で7～8分蒸す。

2 さやいんげんは筋を取り、塩ゆでして氷水にとる。先をつなげたまま縦に切り目を入れる。

3 松茸の根元を鉛筆のように削り、ペーパータオルでやさしく払って土や汚れを落とす。笠に切り目を入れて縦2つに裂き、長さを半分に切る。

4 鍋に吸い地と松茸を入れて火にかけ、さっと煮る。

5 お椀に甘鯛を入れて松茸をあしらい、さやいんげんを添える。4の汁を温めてはり、すだちをのせる。

直伝！ おいしく作るコツ

松茸の香りが強いのは、笠の裏や皮の部分。強くこすったり水で洗うと香りが失われるので、汚れはペーパータオルで拭き取る程度に。泥がついていたら、固く絞ったぬれぶきんでそっとぬぐいます。

教えて！奥田料理長

刺し身の名脇役 けんとつま、薬味

「けん」とは、別名「敷きづま」。刺し身の後ろや下に敷き、魚介の旨みや色を引き立てる野菜や海藻です。野菜はせん切りや、らせん状に切るのが一般的ですが、私は球状にくりぬいたものも使います。どれも冷水に放してパリッとさせると効果的です。

けんには、大根、にんじん、きゅうり、みょうが、ラディッシュ、海藻ミックス、わかめなどがよく使われます。

「つま」は「飾りづま」とも呼ばれ、刺し身の前や上にのせて、刺し身を見た目でも引き立てる役割。香気があって口直しにもなる青じそ、穂じそ、スプラウト、レモン、菊花などです。

「薬味」は、わさび、生姜、芥子、にんにくなど、辛み成分や強い香りのあるもの。魚臭さを消して味を引き立て、生魚に当たらないよう毒消しの役目まで担います。わさびはどんな刺し身にも使い、生姜は青魚に、にんにくや芥子はかつおに使います。

くりぬきのきゅうり

きゅうりを皮つきのまま、くりぬき器で側面を丸くくりぬく。冷水にさらして水気をきる。

くりぬきの長いも

長いもは、くりぬき器で断面を丸くくりぬく。冷水にさらして水気をきる。

白髪大根

❶大根は5～6㎝長さに切り、皮を厚めにむく。左手の親指で刃の近くを押さえながら、ごく薄くむいていく（かつらむき）。

❷重ねて縦にせん切りにし、冷水にさらして水気をきる。

献立の主役をおいしく！

焼きもの
揚げもの

和食のメインディッシュといえば、
白いご飯がすすむ塩焼きや
味噌漬け焼きなどの焼きもの、
天ぷらや竜田揚げなどの揚げもの。
家族が好きないつもの料理が
プロのコツで驚くほどおいしく作れます。

PART 4

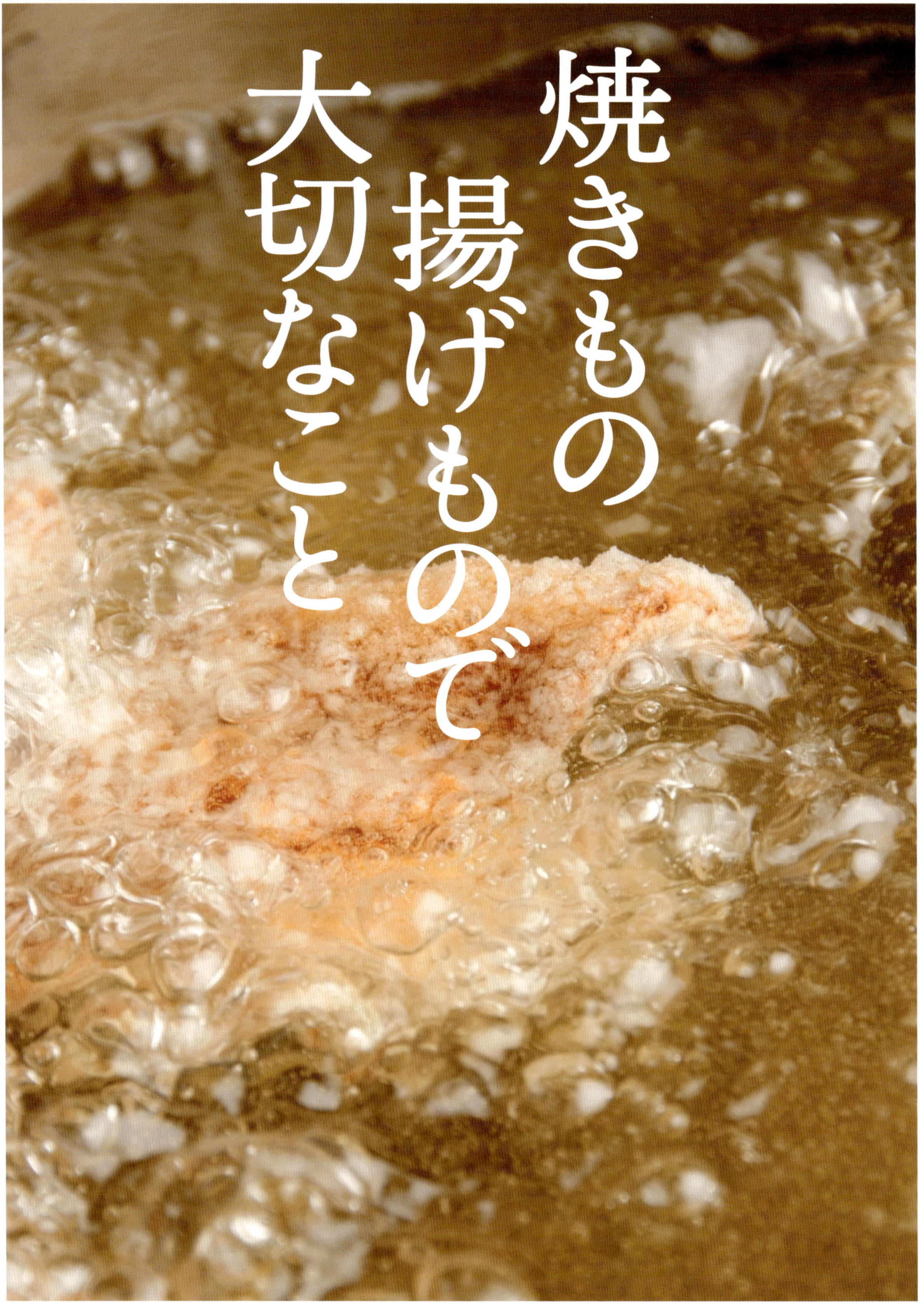

焼きもの揚げもので大切なこと

1 家庭のグリルはあらかじめ熱くして

一般のガス台に付属している魚焼きグリルには、上火だけ、あるいは下火だけの「片面焼きグリル」タイプと、上下から加熱される「両面焼きグリル」タイプがあります。この本では、魚を裏返す必要がない「両面焼きグリル」を使っています。魚がくっつかないように網の部分にはサラダ油を塗って、あらかじめ充分に熱しておきます。

2 揚げものは深鍋で。一度にたくさん揚げない

揚げものには、何もつけないで揚げる「素揚げ」、小麦粉や片栗粉をまぶす「から揚げ」、天ぷらのような衣をつける「衣揚げ」などがあります。どれも、油の温度管理がポイント。一般的には180℃前後が適温ですが、揚げる素材によって、上下に10℃くらい適温の幅があります。適温をキープするためには、温度が安定しやすい深い鍋を使い、油にいっぺんに多くのたねを入れないこと。一度に入れるのは、揚げ油の表面積の$\frac{2}{3}$程度に留めます。なお、持つと軽く、表面が堅くなっていたら揚げ終わりのサインです。

揚げ終わりは持ち上げて確かめる。軽くなり、表面が堅ければOK。

3 天ぷら油の温度を見極める

天ぷら用の油は、サラダ油7割に、香りのよいごま油3割を混ぜて使います。そして、野菜は170℃前後、魚介は175～180℃の温度で揚げます。衣少量を落としてみて鍋底まで沈んでから浮いてくるときは170℃くらい。野菜を揚げる適温です。衣が油の深さの半ば程度で浮いてくるのは175℃くらい。魚介を揚げる適温です。なお、衣が沈むことなく油の表面でチリッと散る場合は、高温になりすぎです。一方、鍋の底まで沈んで浮いてこないときは低すぎます。

4 焼きもの、揚げものを盛るときは

いずれもお皿の中央に、周囲のあきを均等に盛ります。魚や肉の焼きものには、焼き野菜や柑橘類、酢のものなどの季節の前盛り野菜を添えると、主役がぐんと引き立ちます。揚げ魚、揚げ肉では、野菜も一緒に揚げて添えるとよいでしょう。

竜田揚げには、揚げたししとうを立体的に立てかけて、さっぱりするレモンを添える。

あじの塩焼き

尾頭つきの香ばしい焼き魚は、魚の焼きものの代表格。
どなたにも好まれるあじで教わります。

材料（2人分）

- あじ……2尾
- 塩……適量
- サラダ油……少量
- はじかみ生姜（→左記）……2本

直伝！ おいしく作るコツ

和食は姿の美しさも大切です。はらわたを取り出すのに、盛ったときの裏側に切り目を入れるのもそのため。胸びれから下を切りますが、身に平行に切ると、柔らかい腹の部分がくずれて形が悪くなるので、4の写真のように斜めに切ります。

前盛り野菜の作り方

はじかみ生姜

新生姜10本の軸を残して葉を切り落とす。根の部分は皮をむいて形を整える。鍋にたっぷりの湯を沸かし、軸を持って根を湯にくぐらせ、しんなりしたら、手を離して軸もくぐらせる。ざるに上げて塩適量をふる。水450mℓ、酢240mℓ、砂糖70gを合わせて砂糖を溶かし、新生姜の水気を拭いて1日以上漬ける。

1 あじの下ごしらえ

あじは頭を左にしてまな板に置き、出刃包丁の刃先でうろこをこそげ取る。包丁を持つ手首を固定する感じでひじから動かすと、細部までうろこをこそげやすい。

2

あじ特有の体の両脇にあるぜいごを取る。あじの頭を左に置いて押さえ、包丁を寝かせて刃先を尾のほうからぜいごの下に入れ、頭に向かって前後に動かして切り取る。裏側も同様に行う。

3

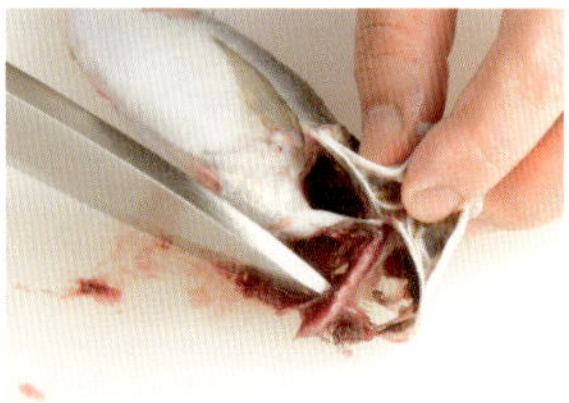

頭を左に置き、包丁の刃先を上側のえらぶたから差し込んで、えらとあごのつなぎ目を切り離す。次に刃先を下側のえらぶたから差し込み、魚を持ち上げながらえらを引っ張り出す。

4

盛るときに裏になる側の胸びれの下に斜めに切り目を入れる。刃先にはらわたを引っかけて取り出す。次に流水をかけながら歯ブラシを使って腹の中を洗い、水気をよく拭く。

5

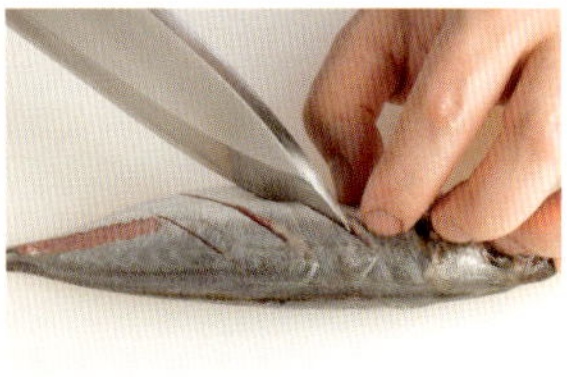

皮目に深く格子状の包丁目を入れる。裏も同様に行う。こうすると火が通りやすく、塩味も入りやすくなる。

6 塩をふる

バットに塩をふってあじを並べ、上からもまんべんなくふって10分おく。適度に余分な水分が抜け、塩味もつく。

7

10分おいた状態。水気がにじみ出てくる。拭かずにこのまま焼く。

8 焼く

魚焼きグリルの焼き網にサラダ油を塗って熱しておく。あじを盛ったときに表になる面を上にし、両面焼きでこんがりと焼く。皿の中央に盛り、はじかみ生姜を魚の右手前に添える。

金目鯛の西京味噌漬け焼き

味噌の旨み、香ばしさが加わって、特別に食欲をそそるのが味噌漬け焼き。魚の持ち味を生かす上品な西京白味噌を使います。

材料（2人分）

金目鯛（切り身、100gのもの）※……2切れ

味噌床

- 西京白味噌（粒味噌）……200g
- みりん……大さじ$1\frac{2}{3}$
- 酒……大さじ$\frac{1}{2}$弱

みりん・塩……各適量

サラダ油……少量

きんぴらごぼう（→下記）……適量

ガーゼ……容器の2倍の長さ

※魚は鯛、甘鯛、たらなど、白身魚ならなんでもよい。

直伝！ おいしく作るコツ

白味噌には粒味噌とこし味噌があり、粒味噌がおすすめです。香りが強く、香ばしく焼け、また床がダレません。特に大型のさわら、まながつお、甘鯛などには粒味噌を使いたいものです。漬け時間は2～3日がベスト。ここでは2人分のご紹介なので魚は2切れですが、多めに漬けて2～3日で床から引き上げておいてもよいでしょう。魚はガーゼで包むことで粒味噌がくっつかず、味噌床のもちもよくなります。床は2回使えます。

1 味噌床を作る

西京味噌をみりんと酒でのばす。みりんと酒の割合は約4:1。酒だけでは味噌の風味が立たず、甘いみりんが加わることでおいしくなる。

2 魚を漬ける

金目鯛は皮目に5㎜間隔に切り目を入れる。味がしみやすく、焼いたときに余分な脂が落ちやすい。バットに塩をふって皮目を下にして置き、上からも塩をふり、20～30分おく。

3

ふたつき容器の底に味噌床を薄く敷く。ガーゼをのせ、金目鯛の水気を拭いて並べ、ガーゼを折りかぶせて残りの味噌床を塗る。味噌は上から下へ浸透するので、上をたっぷりと塗る。

4

2～3日漬け込むと金目鯛は飴色になり、つやが出る。

5 焼く

魚焼きグリルの焼き網にサラダ油を塗って熱しておく。皮目を上にし、両面焼きで焼く。焦げ防止に途中でアルミ箔をかぶせ、仕上げにみりんを塗って乾かす。皿に盛り、きんぴらごぼうを添える。

前盛り野菜の作り方

きんぴらごぼう

ごぼう$\frac{1}{2}$本は皮つきのままたわしでよく洗って、細いささがきにする。鍋にごま油大さじ1を熱してごぼうを炒め、酒$\frac{1}{4}$カップ、みりん大さじ1、醤油大さじ1も加え、強火でいりつける。仕上げに一味唐辛子少量をふる。にんじんやれんこんで作ってもおいしい。

料金受取人払郵便

麹町局承認

4721

差出有効期間
平成27年
9月10日まで

郵便はがき

102-8720

439

東京都千代田区九段北4-2-29
株式会社 世界文化社
実用編集部
「本当においしく作れる**和食**」 係行

フリガナ			（　　）歳 1.男　2.女
氏　名			1.未婚　2.既
住　所	〒□□□-□□□□	都道府県	区郡市
TEL　（　　）		FAX　（　　）	
E-mail			
職　業	1.会社員　2.会社等経営・役員　3.自営業　4.自由業　5.公務員・教員 6.専業主婦　7.パート・アルバイト　8.家事手伝い　9.学生　10.その		

※今後の企画の参考にするため、アンケートにご協力をお願いしています。ご回答いただいた内容は個人情報を含みますが、個人情報の安全な取り扱いには十分配慮しておりますのでご了承ください。ご回答いただいた内容は個人を特定できる部分を削除して統計データ作成のために利用させていただきます。弊社で一定期間保存後は速やかに適切な方法で廃棄いたします。
※今後、弊社から読者調査やご案内をお送りしてもよろしいでしょうか。
ご承諾いただける方は右の□にチェックをつけてください。　……………………承諾します □

Q.1 この本を何でお知りになりましたか。

1．書店の店頭で　　2．広告で（　　　　新聞）

3．書評を見て（　　　　　　）　4．知人の紹介で

5．その他（　　　　　　　　）

Q.2 本書の中でどの料理を作ってみたいですか？

Q.3 本書の中で実際に作った料理はありますか？
味やできばえはいかがでしたか？

Q.4 本書掲載以外で作ってみたいお料理名、ジャンル、教わりたいシェフなどを教えてください。

Q.5 お料理の悩みごととその理由を教えてください。

Q.6 本書の内容について、感想をお聞かせください。

※あなたのご意見・ご感想を、本書の新聞・雑誌広告や世界文化社のホームページ等で

1.掲載してもよい　　2.掲載しないでほしい　　3.匿名なら掲載してもよい

ペンネーム（　　　　　　）

ご協力ありがとうございました。

器／中里花子

豆腐田楽

水きりして味わいが凝縮した豆腐に、味噌の旨み、香ばしさが加わって最強の一品に。お酒のお供に、ご飯のおかずに。

直伝！ おいしく作るコツ

木の芽味噌は、木の芽（山椒の若芽）が芽吹く春だけの季節の味。作って2～3日は香りも色もよいので、ゆでたたけのこやうどなどを和えて、木の芽和えにどうぞ。長くはもたないので早く使いきるようにしてください。

材料（3人分）

- 木綿豆腐※ …… 2丁
- 木の芽味噌（作りやすい量。½を使う）
  - 玉味噌（→p.44） …… 200g
  - ほうれん草 …… 1束
  - 木の芽 …… 10g
- 玉味噌（→p.44） …… 100g
- サラダ油 …… 少量
- 木の芽 …… 6枚

※こんにゃくやなすでもよい。

1 木の芽味噌を作る

ほうれん草の葉先をちぎって、色よくゆでる。フードプロセッサーで撹拌してペーストにし、裏ごししてなめらかにする。これが「青《あお》寄《よ》せ」となる。20gを使う。

2

木の芽は葉を摘んで、すり鉢で細かくする。

3

2に玉味噌と、1の青寄せ20gを加え混ぜる。

4

色が均一になるまで充分にすり混ぜる。木の芽味噌の完成。

5 豆腐を水きりする

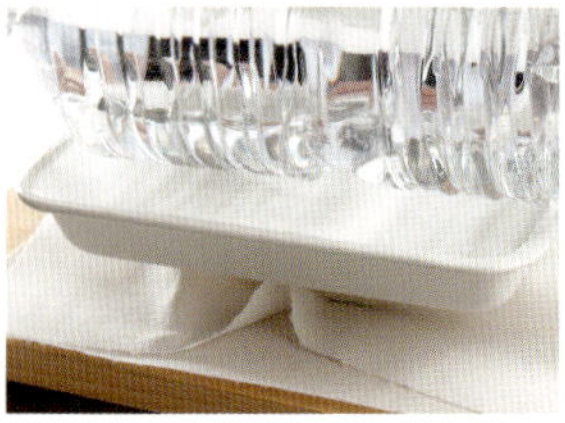

豆腐をペーパータオルではさみ、くずれやすいので巻きすで巻いてまな板2枚などではさむ。水を入れたペットボトルなどを重しにし、4時間おいてしっかり水きりする。

6

左が水きりし終わった状態。元の豆腐よりも半分の厚みになる。縦3等分し、3切れは木の芽味噌田楽に、3切れは玉味噌田楽にする。

7 焼く

魚焼きグリルの焼き網にサラダ油を塗って熱しておき、豆腐を焼く。こんがり焼けたら木の芽味噌と玉味噌をそれぞれ適量塗り、再び焼いて味噌に焼き目をつける。串に刺して器に盛り、木の芽をのせる。

器／藤平 寧

天ぷら盛り合わせ

カリッと揚がったところに塩をつけてサクッといただく、
シンプルゆえのストレートなおいしさ。
たねの水分を上手に抜いて形も美しい、
料理屋さんだからこそのコツを教わりましょう。

抹茶塩
抹茶1:塩1で混ぜる

カレー塩
カレー粉1:塩1で混ぜる

山椒塩
山椒1:塩1で混ぜる

材料（2人分）

- 車えび……4尾
- きす……2尾
- なす……2個
- さつまいも……½本
- ししとう……2本
- 天ぷら衣
  - 卵黄……2個
  - 冷水……1½カップ
  - 小麦粉（冷やしたもの）170g
- 下粉（小麦粉）……適量
- 揚げ油※……適量
- 天つゆ……適量
- 抹茶塩・カレー塩・山椒塩……各適量

※揚げ油はサラダ油とごま油を7:3で混ぜたもの。

直伝！ おいしく作るコツ

天ぷらは、衣と油の温度差で生まれる料理なので、衣は冷たく、油は適温から下がらないことが大切です。そこで衣の水は氷水にし、小麦粉は冷凍庫で冷やしておきます。また揚げ鍋は深いものを用い、一度に揚げる量は多くても油の表面積の⅔程度にすること。たねを入れても温度が下がりすぎず、油の中で泳ぐような状態だと、からりと揚がります。衣を卵黄のみにするとコクが生まれ、食感もフワッ、サクッとなります。

1 たねを用意する

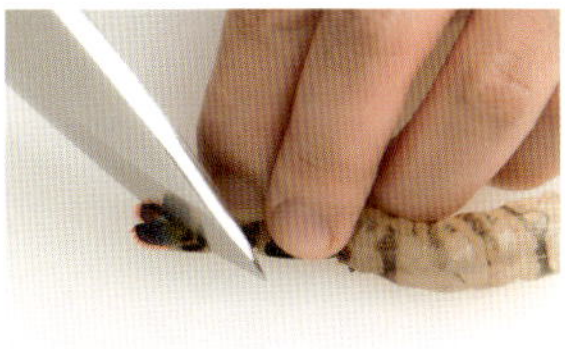

車えびは頭を取って背わたを抜き、尾を残して殻をむく。背を切って残った背わたや砂を取り除く。尾の先端を切り落とし、しごいて空気と水を抜く。

2

車えびの腹側に3本の切り目を入れる。さらに、両側面の筋に切り込みを入れ、揚げたときに丸まらないようにする。

3

まな板に車えびの背側を下にして置き、指先で押してのばす。

4

尾のつけ根を手でつぶして尾を両側に開く。揚げたときに形がよく、また残った水分も完全に出て、揚げはねを防ぐことができる。これで車えびの下ごしらえが完了。

5

きすは頭を切り落とし、背開きにする。まず出刃包丁の刃先を頭側から背に入れ、中骨にそって切り進める。腹の手前で止める。このとき、なるべく骨に身をつけないようにする。

6

裏返し、包丁を尾側から背に入れ、同様に切り進める。左手で身を持ち上げ、中骨を切り落とす。

7

両身の腹骨を薄くすき取る。これできすの背開きが完了。

8

なすは両端を切って縦半分にし、皮目に斜め格子の切り目を入れて2等分する。さつまいもは1cm厚さに切る。ししとうはへたを切り、側面に1本切り目を入れる。

◀次ページに続く

9　天ぷら衣を作る

卵黄をよくほぐし、冷水を加えて泡立て器で静かに混ぜる。

10

揚げる直前に小麦粉をふるい、2回くらいに分けて泡立て器で9に混ぜる。混ぜすぎると粘りが出るので、1回目の小麦粉がさっくり混ざったら次の小麦粉を加えて、混ぜる。

11

衣のでき上がり。粉が混ざりきっていなくてもよい。

12　野菜を揚げる

揚げ油を170℃に熱し、野菜に下粉をつけ、衣にくぐらせる。時間のかかるさつまいもから油に入れ、なす、ししとうを時間差で入れて同時に揚がるようにする。それぞれ軽く、堅くなったら揚げ終わり。

13　魚介を揚げる

魚介は衣がはがれやすいので注意。下粉をつけて余分な粉を払い、衣をつける。

14

えびは尾をもち、下粉、衣の順でつけ、揚げ鍋の手前へ入れて鍋の奥のほうへ流す。

15

揚げるたねの量は最多でも油の表面積の$\frac{2}{3}$まで。油の温度をできるだけ下げないようにする。途中で天かすをこまめに除き、油がいたまないようにする。

16

衣が堅くなり、持ってみて軽くなっていれば揚げ終わり。油をきる。

17

次にきすを揚げる。尾を持ち、下粉、衣の順でつける。皮側の衣はボウルの端でぬぐう。

18

揚げ油に入れて、揚げ色がついたら一度裏返す。衣が堅くなり、持ってみて軽くなっていれば揚げ終わり。野菜の天ぷらとえび、きすの天ぷらを盛り合わせ、つけ塩を添える。

■基本の天つゆの作り方

天つゆは「だし5：醤油1：みりん1」の割合。だし1カップ（200㎖）と醤油40㎖、みりん40㎖を合わせて火にかけ、沸いたら火を弱めてあくをすくい、1分煮てアルコール分をとばす。火を止めて常温に冷ます。熱いと天ぷらを浸したときにすぐに吸って、カリッと揚がった衣が柔らかくなってしまう。なお、天丼にするときはだしの量を減らし、4：1：1の割合に。好みで砂糖少量を加えてもよい。

かき揚げ

魚介や野菜を取り合わせて揚げるかき揚げは、空気を含んでふんわり軽く、天ぷらとはまた違う味わい。衣は小麦粉を少し多めにし、細かい野菜をまとめます。

材料（2人分）

芝えび……………………50g
ごぼう……………………2cm長さ
しいたけ…………………1枚
玉ねぎ……………………中$\frac{1}{2}$個
にんじん…………………1cm長さ
三つ葉……………………3本
とうもろこし……………3cm長さ

かき揚げ衣
- 卵黄……………………1個
- 冷水……………………$\frac{3}{4}$カップ
- 小麦粉…………………90g

下粉（小麦粉）…………適量
揚げ油※…………………適量
天つゆ（→p.94）………適量
大根おろし・おろし生姜
……………………………各適量

※揚げ油はサラダ油とごま油を7:3で混ぜたもの。

1 芝えびは殻と背わたを取る。ごぼうはささがきにして水に放す。しいたけは半分に切って、玉ねぎとともに薄切りに、にんじんは短冊切りに、三つ葉はざく切りにする。とうもろこしは粒をつなげて削る。合わせて4等分する。

2 かき揚げの衣は、天ぷら衣よりも濃いめ。卵黄をほぐして冷水を混ぜ、ふるった小麦粉をさっくり混ぜる。具の$\frac{1}{4}$量を別ボウルに入れ、下粉少量をふるい入れ、手でまぶす。

3 揚げ油を170℃に熱する。2の具に衣を50㎖ほど加えて、さっくり混ぜる。

4 3を穴杓子にのせ、揚げ鍋の端で、箸で丸くまとめながら入れる。

5 かき揚げに箸を入れて広げながら形を整える。箸でさわって軽く、堅くなったら揚げ終わり。残りの具も同様にして揚げ、油をきる。天つゆと大根おろし、おろし生姜を添える。

天茶にしてもう一品

カラッと揚がったかき揚げはお茶漬けにすると、ご馳走の一品に。だし1カップ、塩小さじ$\frac{1}{5}$、薄口醤油少量を合わせてかけただし茶漬けにしたり、ほうじ茶をかけてもよいでしょう。

皿／荒賀文成　白い小鉢／黒田泰蔵

白身魚の変わり揚げ二種

かれいのそば粉揚げ　すずきのおかき粉揚げ

衣にそば粉やおかき粉を使うと、気のきいた揚げものに。
そば粉は軽やかな仕上がり、
醤油味のおかき粉は白身魚の淡泊さを際立てます。

材料（2〜3人分）

かれいのそば粉揚げ
- かれい（切り身、35gのもの）※2 ……3切れ
- そば粉（更科粉）……適量

万願寺唐辛子……2本

すずきのおかき粉揚げ
- すずき（切り身、45gのもの）※1 ……3切れ
- 柿の種……適量

すだち……適量

揚げ油※3 ……適量

※1　他に鯛、太刀魚、きす、いか、帆立貝柱など。
※2　さより、きすなど上品な味わいの白身魚ならなんでも。
※3　揚げ油はサラダ油とごま油を7:3で混ぜたもの。

1 柿の種をフードプロセッサーで粉状に砕き、目の細かい裏ごし器でふるい、おかき粉を作る。

2 バットにそば粉を入れてかれいにまぶし、余分な粉を払う。

3 別のバットにおかき粉を入れてすずきにまぶし、余分な粉を払う。

4 万願寺唐辛子はへたを切り、側面に切り目を入れて170℃の揚げ油で揚げる。少し温度を上げて2を揚げ、持ってみて軽くなったらすぐに引き上げ、油をきる。続いて3を揚げる。

5 かれいのそば粉揚げには万願寺唐辛子を、すずきのおかき粉揚げには右手前にすだちを添える。2種の揚げものを盛り合わせてもよい。

直伝！ おいしく作るコツ

そば粉揚げ、おかき粉揚げのどちらも火が入りやすく、衣が焦げやすいので注意しましょう。両方とも、天つゆ（→p.94）を添えてもおいしくいただけます。グリーンアスパラガス、オクラ、ベビーコーン、エリンギなどの季節の野菜にそれぞれそば粉、おかき粉をつけて揚げ、盛り合わせてもボリュームが出ます。

器／米田 和

鶏肉の竜田揚げ

サクッとした歯ざわりの中から、ジューシーな旨みがあふれます。紅葉の名所、竜田川《たつたがわ》にちなみ、醤油に染まった鶏肉の色を紅葉に見立てています。

材料（2人分）

鶏もも肉※ …… 200g
漬け汁
- 醤油 …… 3/4カップ
- 酒 …… 3/4カップ
- 生姜の絞り汁 …… 小さじ1

片栗粉 …… 適量
揚げ油（サラダ油） …… 適量
ししとう …… 4本
レモン …… 1/8個

※豚肉や、さば、あじ、かつお、まぐろなどの青魚でもよい。旨みの強い素材がよい。

1 鶏肉は一口大に切る。漬け汁の材料を合わせ、鶏肉を5〜10分漬ける。ししとうはへたを切り落とし、側面に切り目を1本入れる。

2 鶏肉を漬け汁から引き上げてペーパータオルでしっかり拭き、片栗粉をまんべんなくまぶす。

3 揚げ油を170℃に熱し、ししとうを揚げる。次に温度を上げて鶏肉を揚げ、途中で上下を返す。まわりの泡が細かくなり、表面が堅くなったら揚げ終わり。油をきる。

4 皿の中央に竜田揚げを重ねて盛り、右手前にししとうと半分に切ったレモンを添える。

直伝！ おいしく作るコツ

からりとした揚げ上がりにしたいので、生姜入りの酒醤油だけに漬けます。漬け汁から引き上げるときは、汁気を充分に拭き取ってください。このひと手間で衣の片栗粉がよくつき、揚げたときに衣に白い部分ができます。そして肉の色との明確な違いができて、もみじの名所「竜田川」らしい風情になります。

教えて！奥田料理長「小十」の常備菜

食事の最後、ご飯を召し上がっていただくときに、お店では佃煮やお漬けものも添えてお出ししており、さっぱりとして食事の締めのご飯がすすむ、とご好評をいただいています。これらは常備菜として作りおきしておくものですが、そのうちの2品をご紹介しましょう。常備菜とはいっても料理の数々をいただいたあとですから、あまり濃い味にはしていません。

昆布の佃煮

だしをとったあとの昆布を使います。
柔らかくてほんのり甘い、薄味の佃煮なのでいくらでもいただけます。
ご飯のお供や、お弁当の片隅にどうぞ。

材料（作りやすい量）

- だしをとったあとの昆布……500g
- 水……$4\frac{1}{2}$カップ
- 酒……1カップ
- 砂糖……135g
- 醤油……190mℓ
- たまり醤油……小さじ1
- いり白ごま……大さじ2

❶昆布を細切りにして鍋に入れ、分量の水と酒を加えて火にかける。沸騰したらあくを取り、砂糖を入れてぽこぽこ沸く状態で煮る。
❷砂糖がなじんだら醤油を数回に分けて加え、ときどき混ぜながら煮る。
❸昆布を鍋の周囲にドーナツ状に広げて煮汁の量を確認する。鍋底が見えそうなほど減っていたらたまり醤油を加え、汁をからませるように煮上げる。白ごまを混ぜる。

酢れんこん

れんこんのコリッとした歯ごたえを生かして作る、ピリ辛の甘酢漬け。
お漬けものとしてはもちろん、焼き魚の前盛りにもぴったりです。

材料（作りやすい量）

- れんこん……小1節（100g）
- 酢……大さじ2
- 塩……少量
- あちゃら酢
  - 水……220mℓ
  - 酢……160mℓ
  - 砂糖……45g
  - 塩……小さじ$\frac{1}{4}$
  - だし昆布……3cm角1枚
  - 赤唐辛子……1本

❶れんこんは皮をむき、3mm厚さに切って水にさらす。
❷水1ℓ（分量外）に酢大さじ2を加えて沸かす。れんこんを手つきのざるに入れ、湯に50秒〜1分ほど通して引き上げ、浅いざるに広げる。塩少量をふって脱水する。長くゆですぎると、歯ごたえを失うので注意。
❸あちゃら酢の赤唐辛子は種を取り、ちぎる。酢を水でのばし、塩と砂糖を溶かして甘酢を作る。昆布と赤唐辛子を入れ、れんこんを2時間以上漬ける。冷蔵して2〜3日後が食べ頃。

下の小鉢／藤平 寧

上手になりたい

煮もの 蒸しもの

ふっくら炊き上がった煮ものは、
日本人が思い描く家庭の味。
でもなんだか上手に作れない……
といった多くの声に応えて、
奥田料理長のコツをていねいにご紹介。
ご馳走感あふれる蒸しものは、
おもてなしにもどうぞ。

PART5

煮もの、蒸しもので大切なこと

1 魚は湯にくぐらせ、堅い野菜は下ゆでして

魚を煮るときは欠かせない霜ふり。

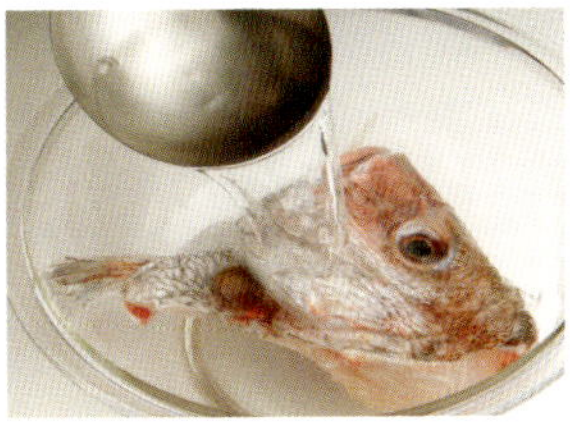

上品で澄んだ味の煮魚を作るには、熱い湯にくぐらせる（霜ふり）ひと手間が大切です。これで魚の生臭みや汚れが取れます。また大根などの堅い野菜を煮るときは、下ゆでが必要です。煮るときにだしや調味料がしみやすく、雑味なく煮上がります。

2 煮ものは鍋の大きさに注意

短時間で煮上げる場合でも、時間をかけて煮る場合でも、最適な口径の鍋を選ぶこと。材料に対して広く大きすぎると、煮る途中で材料が揺れて煮くずれ、煮汁も無駄に蒸発します。逆に、材料に対して小さすぎると煮汁が均一に回らず、むらができます。基本は、鍋底に材料が納まり、ほどよく隙間が出る大きさ。そして煮汁の多い含め煮や下ゆでには深鍋を、煮くずれやすい魚の煮つけには浅鍋を使います。むらなく煮るために落としぶたとして、ペーパータオルを活用するとよいでしょう。

2人分のさばの味噌煮は、さば2切れがちょうど並ぶ浅鍋で。

3 煮ものの味つけは「さしすせそ」

筑前煮も、まず砂糖を加える。

調味の基本は、昔から「さ・し・す・せ・そ」といわれてきました。「さ」は砂糖、「し」は塩、「す」は酢、「せ」はしょうゆ、「そ」は味噌のこと。この順番で味を含ませると、味がきちんとつくことを意味します。塩はしみ込みやすく、素材の組織をしめる作用があるので、先に入れるとその後に加える砂糖が入りにくくなります。逆に砂糖はしみ込みにくく、素材を柔らかくします。また、酢は早く加えると揮発し、醤油や味噌は香りがなくなります。そこで、煮立ててあくを除き、まず酒、砂糖（またはみりん）を加えて甘みが素材になじむまで煮て、次に塩を加えます。塩がなじんだところで酢、醤油、味噌を加えるのです。また、色を薄く仕上げたいときは薄口醤油を使うことも多いのですが、普通の醤油（濃口醤油）よりも塩分が2%も多いので、注意が必要です。

4 煮ものには季節の香りを添える

温かい煮ものなら、盛る器も湯にくぐらせて温めておきましょう。春なら木の芽、冬には黄柚子など、その季節の香味野菜を天盛りとしてのせ、香りを添えることで、ぐっと季節感が増します。

冬の味覚、ぶり大根には黄色く色づいた柚子が合う。

5 蒸しものは下味をつけて蒸す

蒸気で加熱する蒸し料理は、しっとりと柔らかく仕上がるのが特徴。寒い冬などは特に喜ばれます。蒸しもののよさは、材料が煮くずれず、旨みが溶け出さないので食材の持つおいしさが保たれること。蒸している間に味をつけることができないので、魚や肉などを蒸す前には塩や酒で軽く下味をつけて、生臭さを消しておきます。いただくときはポン酢醤油などをつけると、蒸し料理特有の淡泊な味わいを補うことができます。

さばの味噌煮

さばにじっくりしみ込ませた味噌味は、少し甘めの深い味わい。個性の強いさばの味を引き立てて、箸が止まらないおいしさです。

材料（3人分）

さば（切り身、80gのもの）	2切れ
水	$2\frac{1}{2}$カップ
酒	$\frac{1}{4}$カップ
生姜（薄切り）	$\frac{1}{3}$かけ分
砂糖	40g
みりん	小さじ5
信州味噌	110g
西京白味噌	30g

直伝！
おいしく作るコツ

味噌は信州味噌と甘い白味噌の2種を混ぜると、味が複雑になって奥行きが出ます。また加える砂糖の量も少なくてすみ、さば本来の味が生きてきます。味噌の組み合わせで新しい味わいが生まれるので、いろいろな味噌で試してみてください。なお、さばは煮くずれしにくく、旨みもある骨つき、または大きめの切り身を使いましょう。

1 さばの下ごしらえ

さばは皮目に切り目を入れる。ボウルに入れて熱湯を回しかけ、ボウルをゆすり、熱湯を行き渡らせて引き上げ、霜ふりにする。流水で洗う。

2 煮る

鍋に1と水、酒、生姜を入れて火にかける。煮立ったら火を少し弱め、ぽこぽこ沸く火加減で煮る。途中であくが浮いてきたら除く。

3

砂糖を加えて、2〜3分煮る。

4

みりんも加えて2〜3分煮て、さばに甘みをなじませる。

5

信州味噌、白味噌に煮汁を少し加えてゆるめ、鍋に入れて溶かす。煮汁を全体に回しかける。

6

味が決まったら、中火で、ぽこぽこと沸く火加減にする。

7

ペーパータオルをかぶせ、そのまま10分煮る。

8 仕上げ

煮汁がとろりと煮つまったら煮終わり。器にさばを煮汁ごと盛る。

器／荒賀文成

鯛のあら炊き

濃いめの煮汁で、強火で炊き上げると、まわりは煮汁をしっかりまとい、箸を入れると身はふっくら白いまま。その味わいの違いを楽しむのも、あら炊きの魅力。

材料（1人分）

鯛の頭（半割りにしたもの）……1枚（½尾分）
水……2カップ
酒……½カップ
生姜（薄切り）……1かけ分（15g）
砂糖……80g
みりん……大さじ2
醤油……95mℓ
木の芽……少量

直伝！ おいしく作るコツ

新鮮な鯛の頭や、かまの部分などのあらが手に入ったら、ぜひお試しいただきたい料理です。強火で一気に炊き上げる料理で、まわりに濃いめの味をまとわせます。そのため鍋の大きさが重要で、魚がちょうど納まる大きさにしましょう。大きすぎると、魚の周囲に煮汁がからむ前に汁が蒸発してしまい、焦げやすくなります。

1　鯛の頭の下ごしらえ

鯛の頭は、出刃包丁の刃先でうろこをこそげ取る。ボウルに入れて熱湯を回しかけ、ボウルをゆすって熱湯を行き渡らせる。

2

流水で洗い、指で確認して残ったうろこがあれば除く。

3　煮る

鯛の頭がぴったり入るサイズの鍋を用意し、鯛を入れて水と酒を加えて火にかける。ぐらぐら煮立たせて生姜を加え、あくは除く。

4

砂糖を加えて2〜3分煮る。みりんも加えてさらに2〜3分煮て、甘みをなじませる。

5

醤油は2回に分けて加える。まず半量を加える。

6

ぽこぽこ沸く火加減で3分ほど煮る。あくはそのつど除く。

7

残った半量の醤油を加える。味が決まったら、ペーパータオルをかぶせる。

8

ぽこぽこ沸く火加減のまま、砂糖を加えてから合計15分ほど煮る。最後は煮汁をすくっては全体に回しかけ、つやよく煮上げる。器に盛って木の芽を天盛りにする。

 器／藤平 寧

ぶり大根

冬の出合いの素材を一緒に炊いた、滋味深い一品。
だしを使うことで煮汁は飲めるほどの薄味にし、
ぶりの旨みを大根にしっかりと含ませます。

材料（2人分）

- ぶり（切り身、50～60gのもの）……4切れ
- 大根（4cm厚さの輪切り）……2個
- 米のとぎ汁……適量
- 煮汁
  - だし……3カップ
  - 酒……大さじ1
  - みりん……小さじ2
  - 醤油……40mℓ
- 生姜（せん切り）……ひとつまみ
- 黄柚子の皮（あられ柚子）……少量

直伝！ おいしく作るコツ

ぶり大根には、だしを使わずに水と酒だけで煮る方法もありますが、旨みが弱いのでそれを補う醤油や砂糖を多めに加えることになり、結局、素材の持ち味が生かされません。おいしいだしをベースにすると、調味料を控えめにすることができるのでおすすめです。仕上がりの色も上品で、大根も煮汁もおいしくいただけます。

1 具の下ごしらえ

大根は皮の下の白っぽい部分も一緒に皮をむく。白い部分が残っていると筋張って堅い。半月に切って断面を平らに整え、角はむき取る（面取り）。

2

鍋に大根とかぶるほどの米のとぎ汁を入れ、ぽこぽこ沸くような火加減で、大根をゆでる。透明感を帯びて竹串が通ったら、火を止めてさっと洗う。

3

鍋に湯を沸かし、ぶりを網杓子にのせて入れる（霜ふり）。周囲が白くなったら氷水にとる。こうすると生臭みが取れ、煮汁も濁らず、上品な仕上がりになる。

4

ぶりを氷水から上げ、くずれた部分やねじれた皮、血合いなどを除いて掃除する。

5 煮る

鍋にだしと酒、ぶり、大根を加える。煮汁が沸くまで強火にかけ、あくを取る。

6

みりんを加えて少し煮て甘みをなじませ、醤油を加える。味が決まったら生姜を加える。

7

弱火にし、ペーパータオルをかぶせる。

8 仕上げ

大根の表面がべっこう色になるまで、ことことと約30分煮る。そのまま鍋の中で冷まし、味を含ませる。温め直し、器に大根とぶりを盛る。煮汁を注ぎ、あられ柚子を散らす。

 器／黒田泰蔵

鶏丸《がん》と油揚げの煮もの

ほのかに山椒のきいた、甘辛の鶏肉だんご。
なめらかな舌ざわりに、ふっくら煮えた油揚げとのコンビも抜群。

材料（4人分・25個分）

ひき肉だんご（鶏丸）
- 鶏ももひき肉……200g
- 鶏胸ひき肉……200g
- 卵……1個
- 砂糖・みりん・醤油・たまり醤油……各小さじ1/2
- 粉山椒……ひとつまみ

油揚げ※……1枚

煮汁
- だし……1ℓ
- 砂糖……35g
- みりん……小さじ2
- 醤油……55mℓ
- たまり醤油……小さじ1/3

きぬさや（下ゆでする）……15枚

※長さを2等分し、それぞれ三角形に4等分して8枚にしておく。

直伝！ おいしく作るコツ

ひき肉だんごは、生のひき肉と加熱したひき肉を半々に混ぜるのがおいしさのポイント。半分に火が入っているだけなので、ひき肉の食感も生き、味わいが単調になりません。鶏肉の風味も存分に味わえます。ひき肉の加熱も煮汁の中で行うので、旨みを余すことなく生かせます。味つけを少し濃いめにすれば冷めてもおいしく、お弁当にもぴったりのお総菜になります。

1 ひき肉だんごを作る

鍋にだしを沸かし、煮汁の調味料を加える。

2

すり鉢にひき肉2種、卵、調味料の順で加えてはすり混ぜる。煮汁と同じ調味をすることで、煮汁となじみやすくなる。

3

なめらかになるまで、すり混ぜる。

4

1を沸かし、手つきのざるに3の生地の半量を入れ、鍋に入れて泡立て器でほぐしながら火を通し、霜ふりにする。

5

すり鉢に残ったひき肉に4のひき肉を加え、均一によく混ぜる。堅くてだんごにまとめにくい場合は、4の煮汁を少し加えて調節する。

6

5の生地に、粉山椒を加え混ぜる。

7 煮る

6の生地を左手にとり、親指と人差し指の間から丸く絞り出してスプーンですくいとり（1個約15g）、4の鍋に落とす。

8

ペーパータオルをかぶせ、ぽこぽこと沸く火加減で煮る。油揚げは熱湯にくぐらせて油抜きし、仕上げに加えてひと煮する。肉だんごと盛り合わせる。きぬさやを煮汁にさっと浸して添える。

器／中里花子

筑前煮

たっぷりの根菜に、だしの旨みと鶏肉のコクがしみ込んだ、しみじみとしたおいしさ。日もちのする家庭的な煮ものです。

材料（作りやすい量・5～6人分）

鶏もも肉	1枚
里いも	300g
れんこん	200g
ごぼう	½本（120g）
にんじん	1本（250g）
しいたけ	4枚
きぬさや	8枚
こんにゃく	1枚（250g）
サラダ油	大さじ2
だし	1.2ℓ
砂糖	25g
みりん	小さじ4
醤油	80mℓ

直伝！ おいしく作るコツ

筑前煮は「炒り鶏」「がめ煮」などとも呼ばれ、九州北部地方の郷土料理。おせちに詰める家庭も多いようです。日本料理のほかの煮ものと異なる点は、油で炒めること。これによってコクが生まれます。だしを使わずに、鶏肉や根菜から出る旨みだけで煮る場合もありますが、だしが入ると上品な味に仕上がります。

1 具を用意する

鶏肉は一口大に切る。里いも、れんこん、ごぼう、にんじんは皮をむいて乱切りにし、れんこんとごぼうは水にさらす。しいたけは一口大に切り、きぬさやは筋を取る。こんにゃくはスプーンでちぎってゆでる。

2 煮る

口径の広い鍋にサラダ油を熱し、くっつかないように少し冷ましてから再度熱し、鶏肉を入れて炒める。

3

しいたけ、きぬさや以外の野菜を加え、こんにゃくも入れて、野菜の表面を焼き固める程度に炒める。だしを加え、しいたけも加える。

4

強火でぐらぐら煮立たせ、浮いてきたあくや油は除く。

5

砂糖を加えて2～3分煮る。みりんも加えて2～3分煮て、甘みをなじませる。あくは出るつど、除く。

6

醤油は2回に分けて加える。まず半量を加え、味がなじんだら残りの醤油を加える。

7

味が決まったらペーパータオルをかぶせ、ぽこぽこと沸く火加減で20～30分煮る。きぬさやは色よくゆでて冷水にとり、水気をきっておく。

8 仕上げ

煮汁が減り、ごぼうも柔らかくなったら煮上がり。器にざんぐり盛り、煮汁をかけて、きぬさやを散らす。

器／中里花子

なすの揚げ煮

なすは揚げてから煮ると、淡泊な味にコクが加わります。そこに揚げた香ばしさ、だしの旨みも重なって、複雑なおいしさが生まれます。

材料（2人分）

丸なす……1個（250g）
万願寺唐辛子……1本
揚げ油（サラダ油）……適量
煮汁（天つゆ）
- だし……1カップ
- 醤油……40mℓ
- みりん……40mℓ

大根おろし……適量
青柚子の皮（すりおろし）……少量

1 なすはへたと先端を切り落とし、縦に4等分する。味がしみやすいように、皮目に斜め格子の切り目を入れる。

2 **1**のなすの両端を切り落として形を整え、横2等分する。1個が約25g大となる。万願寺唐辛子はへたを切り落として横4等分し、種を取り出す。

3 揚げ油を170 ～180℃に熱し、なすのへたを落としてみて周囲に細かい泡が立つくらいなら適温。なすを入れ、続けて万願寺唐辛子も入れ、なすに揚げ色がついたらともに引き上げる。

4 煮汁の材料をひと煮立ちさせ、**3**のなすを煮て、煮汁を含んだら万願寺唐辛子も加えて煮る。なすを重ねて盛り、万願寺唐辛子を添える。煮汁をかけて大根おろしを小さく丸めて添える。青柚子の皮をのせる。

器／藤平 寧

れんこんの小倉煮

れんこんを煮るとほっくりした食感になります。小豆が加われば歯ごたえはいっそうほっくりと、大人の味の煮ものに。

材料（3〜4人分）

れんこん（皮をむいたもの）……350g
小豆……約100g
煮汁
- だし……1.4ℓ
- 砂糖……40g
- みりん……小さじ4
- 醤油……90mℓ

黄柚子の皮（あられ柚子）……少量
ガーゼ……れんこんを包める大きさ
たこ糸……適量

1 れんこんは細いほうを下にしてガーゼの上に置き、穴に小豆を詰める。小豆がふくらむことを考慮し、7割がたに抑える。ガーゼで包み、たこ糸で2重の十文字に結ぶ。

2 鍋に1とかぶるくらいの水を入れ、火にかけて、ぽこぽこ沸く火加減で30分ほどゆでる。れんこんの切り口にある小豆をガーゼ越しに押して、柔らかくなっていたらゆで終わり。水気をきる。

3 鍋に2とだしを入れて火にかけ、沸騰したらあくを取る。砂糖、みりんを加えて煮て甘みをなじませ、醤油は2回に分けて加える。味が決まったらペーパータオルをかぶせ、煮汁をかけながら柔らかく煮る。

4 ガーゼをはずす。れんこんを縦4等分して、さらに食べやすく横3〜4等分にする。器に盛って煮汁を注ぎ、あられ柚子を散らす。

 器／黒田泰蔵

若竹煮

たけのこが出る春は、新わかめの採れる時期。その出合いものをひと鉢に盛り合わせた、この季節に欠かせない料理です。

材料（作りやすい量・4～5人分）

ゆでたけのこ
（→p.132。1本200g前後）……3本
ゆでた姫皮（→p.132）……適量
煮汁
- だし……7カップ
- 薄口醤油……½カップ
- みりん……½カップ
- 酒……½カップ

だし昆布……7cm角1枚
生わかめ……ひとつかみ
炊きわらび（→p.60）……適量
木の芽……少量

直伝！ おいしく作るコツ

たけのこの芯までしっかり煮汁が含むように煮上げるには、たけのこに煮汁がきちんとかぶることが必要です。たけのこに対して鍋が大きいと、たけのこが煮汁から出て味にむらができるからです。1本だけ煮る場合は小さめの鍋を使うなど、適切なサイズの鍋選びが大切です。

1 たけのこの下ごしらえ

ゆでたけのこを鍋に入れてかぶるくらいの水を加え、火にかけてぐらっとひと煮立ちさせる。

2

ざるに上げて水気をきる。下ゆでしたときの米ぬかや余分な水気が除ける。

3 たけのこを煮る

鍋に2と煮汁の材料、だし昆布を入れて火にかける。沸いたらあくを除く。

4

ペーパータオルをかぶせて火を弱め、ことことと45分ほど煮る。

5

そのまま鍋の中で冷まして、たけのこにじっくりと味を入れる。姫皮は横にせん切りにし、小鍋にたけのこの煮汁を取り出して、さっと煮ておく。

6 仕上げ

盛る直前にたけのこを取り出し、縦半分に切る。

7

さらに、それぞれを縦3～4等分する。先端をキリッと三角形に切ると、形がよい。

8 仕上げ

7を温め直し、器にこんもり山高に盛る。わかめは食べやすく切って煮汁にくぐらせ、盛り合わせる。手前に炊きわらびを添え、姫皮は上にこんもりと盛る。煮汁少量をかけて木の芽を天盛りにする。

器／荒賀文成

冬瓜のえびそぼろあんかけ

透明感を帯びるまで柔らかく煮た冬瓜が、口の中でほぐれます。なめらかなえびのあんも口あたりをよくし、味も彩りもやさしい一品です。

材料（2人分）

冬瓜	500g
米のとぎ汁	適量
だし	2カップ
だし昆布	5cm角1枚
塩	小さじ1/3
薄口醤油	3～4滴
えびそぼろあん	
さいまきえび	80g
だし	2カップと大さじ1 1/2
塩	ひとつまみ
薄口醤油	小さじ1/7
葛粉	大さじ1
おろし生姜	少量

直伝！ おいしく作るコツ

冬瓜のように柔らかい野菜は、形がキリッと整っていると品格のある一品になります。そして、角が立っているのに、口に含むととろりとした舌ざわりを目指します。大きいままのほうが煮くずれしにくいので、大きめに煮て、盛るときに半分に切ります。

1 冬瓜の下ごしらえ

冬瓜は皮側から種のほうへ同じ大きさになるよう4等分に切り、種とわたの部分を切り取る。

2

冬瓜の皮の部分が平らになるように、まな板に置いてまな板に平行に形を整えながら皮をむく。1個70gくらいになる。

3

皮をむいた薄緑色の部分に、斜め格子の切り目を入れ、味をしみ込みやすくする。

4

鍋に入れ、かぶるほどの米のとぎ汁を加えて、竹串がすっと通るくらいにゆでる。とぎ汁を使うとあくが抜け、白く仕上がる。流水で洗う。

5 冬瓜を煮る

鍋にだし2カップと昆布を入れて4の冬瓜を加え、火にかけて沸かし、あくは除く。塩を加えて味をみて、たりなければひとつまみの塩をたす。薄口醤油も加えて、味を決める。

6

ペーパータオルをかぶせ、ぽこぽこ沸く火加減で煮含める。煮上がったら、盛る直前に半分に切る。

7 えびそぼろあんを作る

さいまきえびは殻と尾を取り、背中を開いて背わたもていねいに除き、包丁で小さく切る。鍋にだし2カップ、塩、薄口醤油を入れて沸かし、煮立ったらえびを加え、出てきたあくを除く。

8 仕上げ

葛粉をだし大さじ1 1/2で溶いて7に加え、火を弱める。木べらで底から混ぜてとろみをつける。6を温め、器に冬瓜を重ねるようにして盛り、えびそぼろあんをかける。おろし生姜を天盛りにする。

 器／荒賀文成

里いもの鶏味噌がけ

上品な味つけでふっくらと煮た里いもに、鶏肉のおいしさが詰まった赤味噌をとろりとかけて、味のアクセントに。黄金のコンビで、味わい深くなります。

材料（2人分）

- 里いも（1個約35gのもの）……8個
- 米のとぎ汁……適量
- 煮汁
  - だし……$2\frac{1}{2}$カップ
  - だし昆布……2cm角1枚
  - 塩……ひとつまみ
  - 薄口醤油……小さじ$\frac{1}{3}$
- 鶏味噌
  - 鶏むねひき肉……70g
  - 赤味噌の玉味噌（→p.44）……130g
- 木の芽……少量

直伝！ おいしく作るコツ

「六方むき」は球形の野菜を丸みを生かして六方体に、上下の断面が正六角形になるように皮をむくこと。形が美しく、煮くずれも防げます。里いもは、形のすぼまっているほうを下にして持ち、腕の両脇を締めて右手の包丁とともに手元に引き寄せます。下から上へむき、一面をむいたら次は対面、というふうにすると形よくむけます。たくさん作った鶏味噌は、冷凍保存できます。ほかに、大根、かぶ、かぼちゃ、厚揚げを煮て、かけてもよいでしょう。

1 里いもの下ごしらえ

里いもは泥を落としてよく洗う。里いもの上下を平行に、厚めに切り落とす。

2

里いもの上下の断面がきれいな六角形になるように、皮を「六方むき」にする。下から上へ、皮の幅が変わらないように厚めに一気にむく。同様にして六面とも形作る。

3

8個とも「六方むき」にし、それぞれ形を整える。

4

3を鍋に入れて米のとぎ汁を加え、竹串が通るくらいの柔らかさにゆでる。水洗いして水気をきる。

5 里いもを煮る

鍋にだしと昆布、4の里いもを入れ、火にかけて沸騰したら火を弱め、塩を加える。薄口醤油も加え、味が決まったらペーパータオルをかぶせ、ふつふつと沸く程度の火加減で煮含める。

6 鶏味噌を作る

鍋に湯を沸かし、手つきのざるにひき肉を入れて湯に沈め、泡立て器でほぐすように混ぜて霜ふりにする。水気をきる。

7

p.44を参照して赤味噌の玉味噌を作り、6を混ぜる。里いもを温めて器にこんもりと盛り、少量の煮汁をはる。鶏味噌を里いもが半分隠れるようにかけ、木の芽を天盛りにする。

ふろふき大根

冬大根をおいしいだしでことこと芯まで煮含め、
持ち味の甘みや口あたりをシンプルに味わう料理。
香り高い柚子味噌がそのおいしさをいっそう引き立てます。

材料（2～3人分）

- 大根……1本
- 米のとぎ汁……適量
- だし……2¾カップ
- だし昆布……10㎝角1枚
- 塩……小さじ¼強
- 薄口醤油……小さじ⅓強
- 柚子味噌
  - 玉味噌（→p.44）……100g
  - だし……小さじ1
  - 黄柚子の皮（すりおろし）……適量
- 黄柚子の皮（あられ柚子）……少量

直伝！ おいしく作るコツ

大根やかぶ、冬瓜などはその八割がたが水分です。この水分を抜いて、おいしいだしを含ませるところに、煮もののポイントがあります。「下ゆで」のひと手間は、雑味を取り除くだけでなく、中の水分を抜く役割もあるのです。

1 大根の下ごしらえ

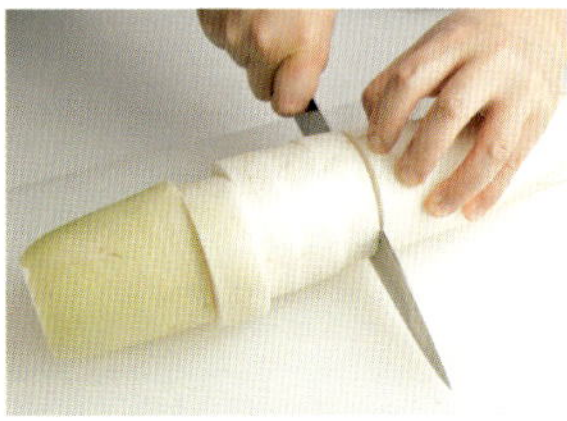

ふろふき大根には、大根の柔らかい中央部分を使う。3㎝厚さに切る。

2

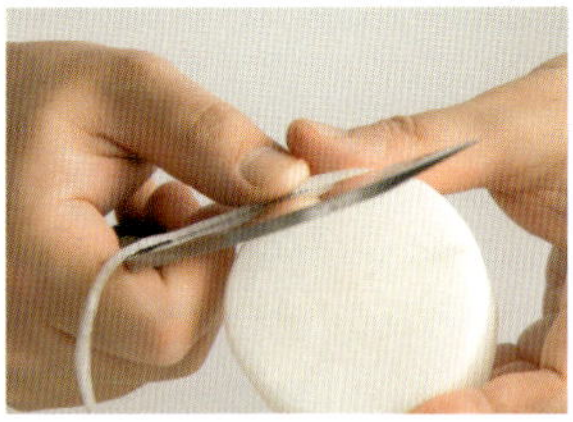

大根の皮を厚めにむく。さらに、1周分をむいて形を整える。断面も平らになるように切り整え、角をむく（面取り）。

3

大根の片面に、深い十文字の切り込み（隠し包丁）を入れる。

4

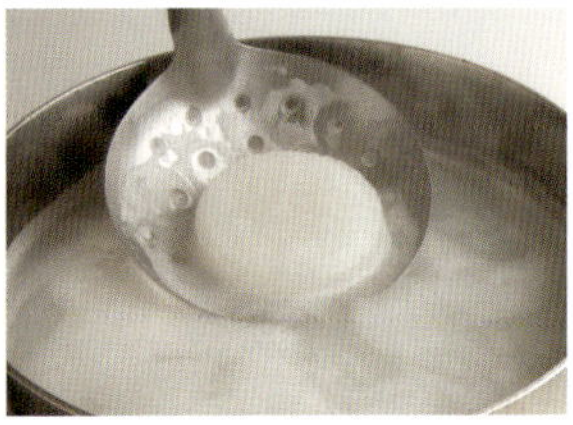

大根を鍋に入れ、たっぷりの米のとぎ汁を加えて火にかけ、竹串が通るくらいにゆでる。米のとぎ汁でゆでると、あくが抜けて白くゆで上がる。流水で洗い、水気をきる。

5 煮る

鍋に4の大根を入れてだしを注ぎ、昆布を加えて火にかける。沸騰したらあくを除く。

6

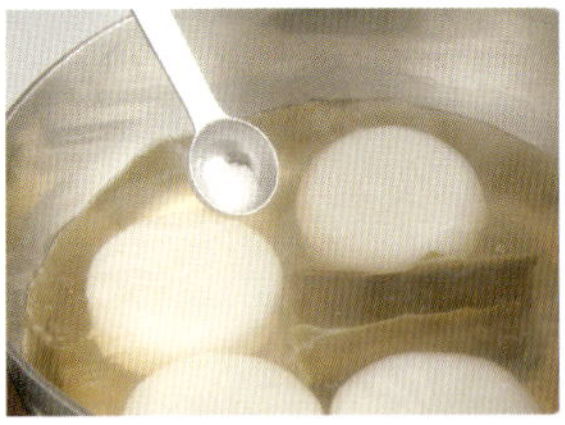

火を少し弱めて塩小さじ¼を加え、味をみる。塩味がたりない場合は、さらに塩ひとつまみを加える。薄口醤油も加える。

7

味が決まったら、ペーパータオルをかぶせ、ぽこぽこ沸く火加減で10分煮る。

8 仕上げ

竹串がすっと入る柔らかさに煮含める。玉味噌にだしを加えて温め、柚子皮のすりおろし適量を加えて柚子味噌を作る。大根を器に盛り、柚子味噌をかけてあられ柚子を散らす。

おからのしっとり煮

だしを含んだおからに鶏肉や野菜の旨みが混ざり、しっとりとした舌ざわりに。おからが贅沢な一品になります。

材料（4～6人分）

- 鶏もも肉……100g
- おから……200g
- 長ねぎ……50g
- にんじん……50g
- しいたけ……50g
- グリーンピース……25g
- サラダ油……大さじ2
- 煮汁
  - だし……2カップ
  - 砂糖……大さじ2強
  - みりん……小さじ4
  - 薄口醤油……小さじ4
  - 醤油……小さじ4

直伝！ おいしく作るコツ

口にしたときに具だけが際立たずにおからと一体化するように、細かく刻むことが大切です。おからの白さを生かしたいので、薄口醤油と醤油を半々にして使いましょう。

1 具を用意する

鶏肉は小さめに切り、長ねぎ、にんじん、しいたけはなるべく細かいみじん切りにする。グリーンピースは色よくゆでる。

2 煮る

広口の鍋に半量のサラダ油を熱し、鶏肉を炒めて均一に火を通す。

3

長ねぎ、にんじん、しいたけの順で加えて炒める。残りのサラダ油をたし、おからを加えて炒める。木べらで混ぜながらまんべんなく火を通す。

4

野菜とおからがよく混ざったらだしを一気に加え、砂糖、みりんも加えて甘みをなじませる。

5

おからがだしを均一に含むように、絶えず混ぜながら煮る。

6

次に薄口醤油を加え混ぜ、なじんだら醤油も加え混ぜる。

7

鶏肉と野菜、おからが混ざり合って、しっとりと炊き上がる。

8 仕上げ

ゆでておいたグリーンピースを加え、さっとひと混ぜする。少し冷めたら鍋の中で箸と手を使ってこんもりと山高く整え、そのまま器に移す。器の縁よりも上に出るくらいが形がよい。

 器／中里花子

ひじきの五目煮

歯ごたえを残して煮た長ひじきに、野菜や大豆の滋味が加わり、乾物の奥深い味わいに感動する一品。常備菜として、たっぷり作りおくのもおすすめ。

材料（4人分）

ひじき（乾物）	40g
大豆（水煮缶詰）	1缶（110g）
にんじん	60g
きぬさや	16枚
こんにゃく	$\frac{1}{2}$枚
油揚げ	1枚
サラダ油	大さじ1
煮汁	
だし	2カップ
砂糖	大さじ2強
みりん	小さじ4
醤油	40mℓ

直伝！ おいしく作るコツ

弱火でゆっくり煮ると、ひじきの食感が柔らかくなりすぎてしまうので、ぽこぽこと沸く火加減で手早く煮汁を煮つめます。ひじきは芽ひじきよりも、長ひじきが歯ごたえもあり、おすすめです。

1 具の下ごしらえ

ひじきはたっぷりの水でもどし、水が透明になるまで1～2回替え、水気を絞る。にんじん、きぬさやは細切りにし、こんにゃくは短冊に切る。油揚げは熱湯に通して油抜きし、短冊に切る。

2 煮る

鍋にサラダ油を熱してにんじんを炒め、こんにゃくも加えて炒める。

3

ひじきの水気をしっかり絞って加え、炒めて、ひじきに油を回す。

4

油揚げと大豆を加えて、まんべんなく炒め合わせる。

5

全体になじんだら、だしを加えて煮立たせ、あくを除く。

6

少し火を弱め、ぽこぽこ沸く火加減で砂糖を加えて2～3分煮る。みりんも加えて2～3分煮て、甘みをなじませる。

7

醤油は2回に分けて加え、味を含ませる。まず半量を加え、なじんだら残りも加える。味が決まったら、ぽこぽこ沸く火加減で煮上げる。

8 仕上げ

煮汁が少なくなって、ひじきがふっくら柔らかくなったら煮上がり。最後にきぬさやを加えて、さっとひと煮する。

 器／黒田泰蔵

高野豆腐の含め煮

乾物料理はだしの味が決め手。
弱火でゆっくりと煮て、上品なだしを芯まで含ませましょう。
口中にだしが広がり、おいしさを存分に味わえます。

材料（4人分）

高野豆腐（1枚18gのもの）…………4枚
さやいんげん……………………………2本
煮汁
- だし……………………………$2\frac{1}{2}$カップ
- 砂糖……………………………大さじ1弱
- みりん…………………………小さじ$\frac{1}{2}$
- 薄口醤油………………………小さじ2
- 醤油……………………………小さじ2

木の芽……………………………………少量

直伝！ おいしく作るコツ

高野豆腐はもどすときも、煮汁で煮含めるときも、水分はたっぷりの量を使うのが原則。少ないともどしむらができたり、堅いところが残ったりします。高野豆腐は煮るとふくらむので、鍋は大きめのものを用意し、まわりを煮汁がゆったりと対流して、芯まで味が含むようにします。

1　高野豆腐の下ごしらえ

高野豆腐は深めの大きいボウルに入れ、80℃の湯をたっぷりかけてペーパータオルをかぶせ、30分おいてふっくらもどす。

2

何度も水を替えながら、白く濁った水が出なくなるまで押し絞る。

3　煮る

高野豆腐がゆったりと入る大きさの鍋に、煮汁のだしと調味料をすべて合わせる。高野豆腐の水気をしっかり絞って加え、火にかける。

4

煮立ったら少し火を弱め、ペーパータオルをかぶせて、小さく波立つような火加減で30分ほど煮含める。

5　仕上げ

芯まで汁を含んだら煮上がり。3等分に切る。さやいんげんはゆでて煮汁でひと煮し、3等分する。高野豆腐を左右から立てかけて盛り、手前にさやいんげんを添え、木の芽をのせる。

高野《こうや》豆腐？　凍《こお》り豆腐？

高野豆腐は、豆腐を凍らせて乾燥させたもの。鎌倉時代に豆腐を屋外に放置しておいたら凍って偶然できたものとされ、世界に誇る日本の乾物です。高野山の宿坊で作られたのでこの名で呼ばれることが多いのですが、日本農林規格（JAS）で決められた正式な名前は「凍り豆腐」です。ほかに、甲信越や東北地方では「凍《し》み豆腐」、大阪・河内地方では「ちはや豆腐」と呼ばれ、また、わらでつないで干すので「連豆腐」、凍ったものをすぐ食べる「一夜凍り」などという呼び名もあります。

器／中里花子

鯛の骨《こつ》蒸し

ご馳走感のある鯛の頭を、シンプルに酒蒸しにします。
身や骨からじわりと出る、おいしいだしも余すことなくいただきます。

材料（2人分）

鯛の頭（半割り）	1枚（1/2尾分）
塩	適量
だし昆布	5g
酒	大さじ2
しいたけ	2枚
八方だし（→p.13）	1カップ
干しわかめ	ひとつまみ
うど※	10cm長さ1本
すだち（輪切り）	2〜4枚
かけつゆ	
だし	1カップ
薄口醤油	2〜3滴
鯛の蒸し汁	40mℓ

※皮をむいてかつらむきにし、巻いてごく細いせん切りにし、水に放して白髪うどにしておく。

直伝！ おいしく作るコツ

鯛やぶりの頭、かまの部分などのあらは、旨みが詰まっているので上手に料理して食べきりたいものです。あらをさばくときは、すっきりとした形に切り出すことが肝心（→p.169）。盛ったときに美しく、また食べやすくなります。鮮魚店に頼んでさばいてもらってもよいでしょう。

1 鯛の頭を蒸す

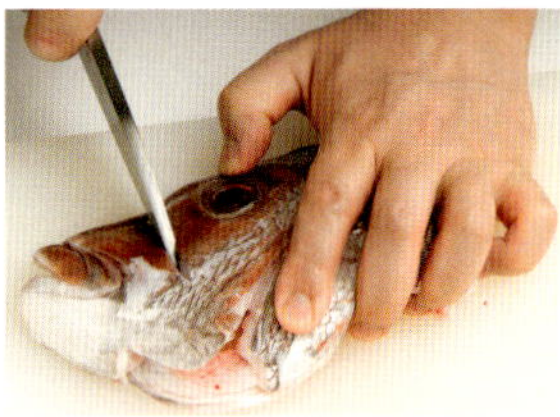

鯛の頭は、食べやすい大きさにさばく（→p.169）。

2

バットに塩を敷き、鯛を並べて上からも塩をふり、10分おく。

3

蒸し器に入るバットに昆布を敷き、2の鯛をそのまま水気を拭かずにのせ、酒をふって強火で10分蒸す。

4

蒸し終わり。蒸し汁には鯛や昆布の旨みが移り、塩味がよいあんばいについている。かけつゆに使うのでとっておく。

5 具に味をつける

しいたけは軸を取って笠に切り目を入れ、さっと下ゆでして、八方だしで煮含める。干しわかめは水洗いし、氷水に入れて流水でさらし、一口大に切ってしいたけの煮汁にくぐらせる。

6 仕上げ

小鍋に、かけつゆの材料を合わせて温める。器にあつあつの鯛を盛り、しいたけ、わかめをあしらってかけつゆを注ぐ。すだちを添え、白髪うどをのせる。

 器／黒田泰蔵

金目鯛のかぶら蒸し

聖護院《しょうごいん》かぶは、京野菜のひとつ。大きくて甘みがあります。その聖護院かぶが出回る冬のご馳走の蒸しもの。立ち上る湯気と、べっこうあんのつやも食欲をそそります。

材料（2人分）

金目鯛（三枚におろしたもの）……130g
塩・酒……各少量
聖護院かぶ※……150g
具
- ぎんなん……4個
- 車えび……2尾
- ゆり根（鱗片をはがす）6片
- きくらげ……大1枚
- 三つ葉……⅛束

卵白……½個分
べっこうあん
- だし……½カップ
- 醤油……小さじ2
- みりん……小さじ½
- 葛粉（または片栗粉）・だし……各大さじ1

おろしわさび……適量

※聖護院かぶが手に入らないときは、大きめのかぶでもよい。

直伝！ おいしく作るコツ

おろしたかぶに卵白や具を混ぜるときは、ボウルではなくざるを利用すると、余分な水気がきれておいしく仕上がります。薄味で楽しみたいときは、べっこうあんの代わりに銀あんに。銀あんは、だしを塩、薄口醤油で味をととのえたものです。

1 具の下ごしらえ

聖護院かぶは皮をむいてすりおろし、100gになるまで水気を絞る。

2

ぎんなんはゆでて半分に切る。えびは10秒ほど塩ゆでし、頭、殻、背わたを取って3等分にする。ゆり根は形を切り整える。きくらげは水でもどして細切りに、三つ葉はゆでて軸を3cm長さに切る。

3

金目鯛は、皮と身の質が違うので反り返らないように、皮目に5mm間隔の切り目を入れて、2等分する。バットに塩をふり、金目鯛の皮目を下にして置き、上からも塩をふって10分おく。

4

3の金目鯛をバットや皿などにのせて酒をふり、蒸し器で7分蒸す。

5

ボウルにざるを重ね、すりおろしたかぶ、2の具、卵白を合わせて手で軽く混ぜ、余分な水気をきる。

6 蒸す

器2個に金目鯛を盛り、5をそれぞれのせて中火で8～10分蒸す。

7 仕上げ

蒸す間にべっこうあんを作る。小鍋にだし½カップ、醤油、みりんを合わせて火にかけ、沸いたら葛粉をだし大さじ1で溶いて加える。

8

鍋底から混ぜながら火を通して、とろみをつける。6にかけて、わさびを添える。

器／米田 和

春の味覚　たけのこの下ゆで

教えて！奥田料理長

春になってたけのこが出回ったら、季節に何度かはいただきたいものです。若竹煮、木の芽和え、たけのこご飯、若竹汁と、春の息吹を満喫できる料理はたくさんあります。そのたけのこ料理の下ごしらえには、まずは下ゆでが欠かせません。あくやえぐみを抜き、すっきりとした味わいと風味を引き出します。たけのこの形を美しく仕上げる皮のむき方も、お教えしましょう。

❶たけのこは、まず土のついている皮1枚をむく。根元を左に、穂先は右に、側面のふくらんだ側を手前にしてまな板に置く。穂先を斜めに切る。

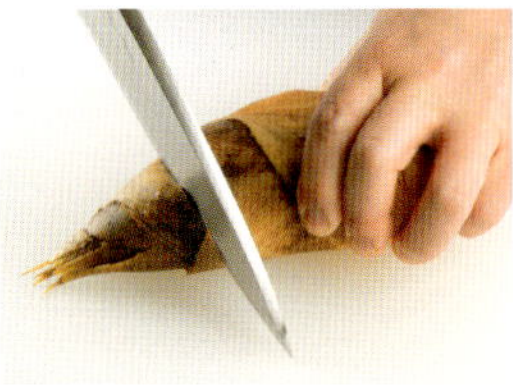

❷凹んだ側の下から$\frac{1}{3}$ほどに、出刃包丁の刃元を入れる。そのまま穂先へまっすぐ切り込んで切り目を入れる。

❸大鍋に水4ℓ、ぬか適量、赤唐辛子2〜3本を入れ、たけのこを加えて火にかける。皮つきのままゆでると旨みが逃げにくい。

❹重めの落としぶたをし、沸騰したら火を弱めて、ふつふつと沸く火加減でじっくりと、1時間半〜2時間ゆでる。

❺金串がようやく通る程度に柔らかくなったら、そのまま鍋の中で一昼夜おく。これでえぐみの素のシュウ酸が抜ける。

❻流水にさらして水気をきり、皮の切り目に指を入れて4〜5枚をむく。根元側の皮がむけ残ったところは割り箸でこそげ落とす。

❼根元を5mm厚さに切り落とし、穂先はまっすぐ切り落とす。穂先の芯の姫皮はとっておく。たけのこが大きい場合は、根元と穂先に切り分けて作業する。

❽ゆでたたけのこの形を整え、根元の角は削る。写真は下ゆで終わり。

レパートリーを増やしたい

ご飯・麺・汁もの

日本人にとって、
炊きたての白いご飯はなによりのご馳走。
土鍋で炊く「小十」流の方法を伝授します。
季節の炊き込みご飯や丼、すし、麺など、
日々の食卓に欠かせない料理も
バリエーション豊かにご紹介します。
味噌汁や季節の汁ものと一緒にご堪能を。

PART6

土鍋で炊くご飯

理想のご飯はつやがあってふっくらと粒立ち、豊かな香りもします。土鍋を使えば、米がご飯に変わってゆく過程を観察する楽しさも。奥田さんにその奥義を教えていただきます。

材料（3～4人分）

米……………………………………3合（540mℓ）

水…………………………………………480mℓ

直伝！ おいしく作るコツ

その昔は、〝はじめチョロチョロ〟と炊き始めを弱火にするよういわれていました。これは、熱伝導のよい鉄製の羽釜で炊いていたから。じわじわと全体に温度を上げて炊きむらがないようにしたわけです。一方、土鍋は温まるまでに時間がかかりますが、いったん蓄熱すると冷めにくく、実際の火加減と加熱の状態に時間差があるのが特徴です。沸騰するまで強火にかければ、火を弱めても鍋の熱で自然に加熱してくれます。火を弱めるタイミングは、吹きこぼれたとき。弱火にしてもしばらく高温をキープしてくれます。

1　米の下ごしらえ

米を洗う。ボウルに米を入れ、水を加えてざっとひと混ぜし、白く濁った水はすぐに捨てる。これを3～4回繰り返す。米は乾物なので、汚れた水が吸収されないように手早く行う。

2

さらにひたひたより多めの水を加え、ひと混ぜしては濁った水を捨てる。これを4～5回繰り返してざるに上げ、水気をきる。ここまでを前日に行い、米が乾いたらふたつき容器に入れて冷蔵してもよい。

3

土鍋に米と分量の水を入れ、10～15分おいて吸水させる。これで米の中心部まで水がしみ込む。

4　炊く

火にかけて、沸騰するまで強火で8～10分加熱する。やがて泡を吹くので火を少し弱め、吹きこぼれそうになったら2～3回ふたを開けて熱を逃がす。

5

ぽこぽこ沸く状態を保ち続けると、沸騰してから3分ほどで水分が減ってくる。写真は沸騰して3分後。表面に水がなくなっている。

6

最後はごく弱火で2分加熱する。火にかけてから13～15分で炊き上がる。時間は鍋の大きさ、米の量によっても微妙に異なるので調整する。

7　蒸らす

火を止めてそのまま10分蒸らす。蒸気が逃げないよう、空気穴を割り箸でふさぐ。蒸らす間に米はふっくらとし、蒸気が米に還流してしっとりと炊き上がる。

8

しゃもじで上下をさっくり混ぜ、ふたは少し開けておく。これで冷めてもべたつかない。

五目炊き込みご飯

鶏肉と野菜の味わい、上等なだしの風味、米の甘さ。
家庭の定番炊き込みご飯も、奥田流なら上品で最高においしい味わいに。

材料（3～4人分）

米……………………………………3合（540mℓ）

具

- 鶏肉……………………………………130g
- にんじん………………………………50g
- ごぼう…………………………………60g
- しいたけ………………………………30g
- 油揚げ…………………………………½枚
- 三つ葉……………………………4～5本

だし………………………………………4カップ

塩……………………………………小さじ¾

薄口醤油………………………小さじ½強

醤油………………………………小さじ½強

直伝！ おいしく作るコツ

醤油味の炊き込みご飯では、洗い米の浸水は水でなく、だしを吸わせてそのまま炊くのが基本。これで、米粒の芯までおいしいだしを含んだ炊き込みご飯ができます。煮た具は蒸らす段階でのせます。土鍋では、最初から具を入れると具で米にふたをすることになり、炊きむらの原因になります。

1 具を下煮する

鶏肉は小さく切る。にんじんは細切りに、ごぼうは細かいささがきに、しいたけは薄切りにする。油揚げは熱湯をかけて油抜きし、細切りにする。三つ葉はざく切りにする。

2

鍋に分量のだしと、三つ葉以外のすべての具を入れて火にかける。沸いたらあくを取り、塩を加えて2～3分煮て味をみる。薄口醤油で塩味をととのえ、醤油を加える。

3

味が決まったら、ぽこぽこ沸く火加減で3～5分煮る。ざるでこし、具と汁に分ける。ここまで前日に仕込んでおくとよい。

4 洗米・浸水

米は水が澄むまで5～6回水を替えて洗い、水気をきっておく。土鍋に米と**3**の煮汁480mℓを入れ、10～15分吸水させる。

5 炊く

ふたをして沸騰するまで強火で8～10分、泡を吹いてきたら火を少し弱めて3分、最後はごく弱火で2分加熱する。途中、吹きこぼれそうになったらふたを開けて熱を逃がす。

6 蒸らす

火を止めて**3**の具と生の三つ葉を散らし、ふたをして10分蒸らす。蒸気を逃がさないよう、ふたに空気穴が開いていたら割り箸でふさぐ。上下をさっくりと混ぜる。

鯛めし

土鍋のふたを開けた瞬間の驚きと、
口にしたときの感激、ご馳走感。
二度、三度とうれしい鯛めしは、お祝いの食卓にぜひ。

材料（6～7人分）

米	6合（1080mℓ）
鯛	中1尾
塩	適量
炊き汁	
だし	1ℓ
塩	小さじ 2/3
薄口醤油	小さじ1
醤油	大さじ1
木の芽	適量

1 鯛を焼く

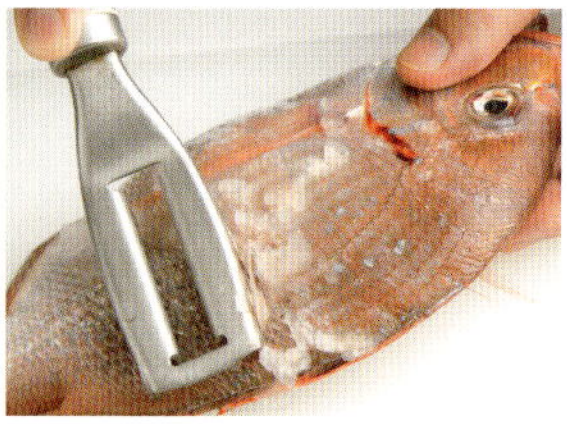

鯛の頭を左、尾を右にしてまな板に置き、うろこかき（または出刃包丁）でうろこをこそげ取る。裏面も同様にしてうろこを取る。

2

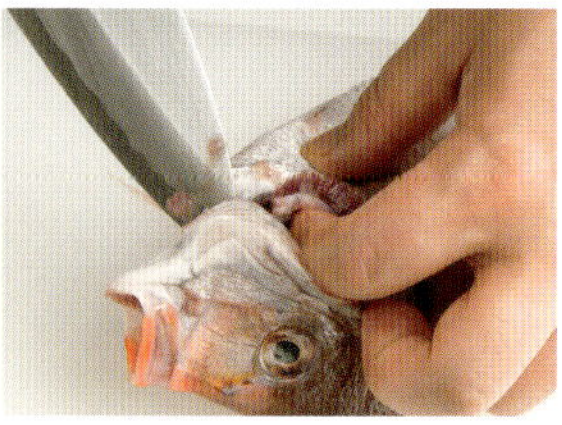

頭を右、腹を手前に置き、包丁の切っ先を上側のえらぶたから差し込んで、えらとあごのつなぎ目を切り離す。

3

包丁の切っ先を下側のえらぶたから差し込んで、えらを引っ張り出す。

4

盛りつけで裏になる面の胸びれの下を斜めに切り、腹わたを取り出す。流水で洗って水気を拭き、表裏に5㎜幅に切り目を入れる。塩をふって10分おき、魚焼きグリルの両面焼きで焼く。

5 洗米・浸水

米は水が澄むまで5～6回水を替えて洗い、水気をきる。米を土鍋に入れ、だしを加えて10～15分吸水させ、塩、薄口醤油、醤油を加え混ぜる。

6 炊く・蒸らす

ふたをして沸騰するまで強火で8～10分、泡を吹いてきたら火を少し弱めて3分、最後はごく弱火で2分加熱する。途中、米肌が見えたら鯛をのせる。火を止めて10分蒸らす。

直伝！ おいしく作るコツ

鯛めしは、鯛そのものをいただくというより、鯛の旨みを身からも骨からも余すところなく移したご飯のおいしさを味わう料理。鯛は一尾まるごとで使い、水分が減ってきたタイミングでのせます。鯛の旨みが凝縮した塩焼きの鯛なら、焼いた香ばしさも加わって最高の味わいになります。家庭で切り身の鯛を使う場合でも、骨つきを選んでください。盛りつけるときは、鯛の頭や骨をはずして小骨も除き、ほぐしてご飯と混ぜ、ほぐし身を表面に引き出して茶碗に盛り、木の芽をのせます。

グリーンピースご飯

お茶碗からフワッと立ち上る
グリーンピースの香り。
噛むほどに春の味わいが口中に広がります。

材料（3～4人分）

米	3合（540mℓ）
水	440mℓ
酒	40mℓ
塩	小さじ1強
だし昆布	5cm角1枚
グリーンピース※	正味170g

※枝豆、そら豆などでもよい。そら豆はゆでて使う。

1 米は水が澄むまで5～6回水を替えて洗い、ざるに上げて水気をきる。分量の水を加えて、10～15分吸水させる。

2 1に酒、塩、昆布を混ぜる。ふたをして沸騰するまで強火で8～10分、泡を吹いてきたら火を少し弱めて3分、最後はごく弱火で2分加熱する。吹きこぼれそうになったらふたを開けて熱を逃がす。

3 火にかけてから13～15分で炊き上がる。途中、米肌が見えたらグリーンピースをのせて広げる。火を止めて10分蒸らし、しゃもじで上下をさっくり混ぜて盛る。

直伝！ おいしく作るコツ

グリーンピースはご飯と一緒に加熱することで、ご飯に青い香りがまとい、豆もホクッとして格別の味わいになります。香りとおいしさを大切にした春の代表的なご飯です。

松茸ご飯

ご飯にしみた旨み、ふたを取ったときの香り、食べたときのシャキッとした食感。松茸の魅力が存分に味わえます。

材料（3～4人分）

米……3合（540mℓ）
松茸（約60gのもの）……4本
八方だし（→p.13）……600mℓ
醤油……小さじ1/2

直伝！おいしく作るコツ

生の松茸をスライスして、最初からご飯と一緒に炊き上げると旨みはよく出ますが、松茸のシャキッとした食感は失われます。そこで考えたのが、松茸の魅力を味わい尽くせるこの二段構えの方法です。ほんのひと手間で、驚くほど松茸の食感が生き、最高の松茸ご飯がいただけます。

1 米は水が澄むまで5～6回水を替えて洗い、ざるに上げて水気をきる。

2 松茸の根元を鉛筆のように削り、ペーパータオルでやさしく払って土や汚れを落とす。笠と軸に分け、軸は細めの拍子木切りにし、笠は切り目を入れて一口大に裂く。

3 八方だしに醤油と松茸の軸を入れ、火にかける。沸いたらあくを取って弱火で3～5分煮る。汁ごとこして松茸と煮汁に分け、煮汁は氷水に当てて急冷する。

4 米を土鍋に入れ、3の煮汁480mℓを加えて10～15分おき、吸水させる。3の松茸をのせて火にかける。

5 沸騰するまで強火で8～10分、吹いてきたら火を少し弱めて3分、最後はごく弱火で2分加熱する。途中、米肌が見えたら松茸の笠をのせて5～10分蒸らす。

栗ご飯

ほんのり塩味のご飯に、
ころんとのっている栗はホックホクの食感。
秋を満喫するご飯です。

材料（4～5人分）

米	3合（540mℓ）
水	440mℓ
酒	40mℓ
塩	小さじ1
だし昆布	5cm角1枚
栗	10個

1 栗の鬼皮の底を切り落とし、側面は、底から上へ引っ張るようにして皮をむく。米は水が澄むまで5～6回水を替えて洗い、水気をきる。土鍋に入れ、分量の水を加えて、10～15分吸水させる。

2 1の米に酒、塩、だし昆布を加えて混ぜる。ふたをして、沸騰するまで強火で8～10分、泡が吹いてきたら火を少し弱めて3分、最後はごく弱火で2分加熱する。吹きこぼれそうになったらふたを開けて熱を逃がす。

3 火にかけてから13～15分で炊き上がる。途中、米肌が見えたら生の栗をのせて広げる。火を止めて10分蒸らし、栗を取り出してしゃもじで上下をさっくり混ぜる。茶碗に盛り、栗をのせる。

直伝！
おいしく作るコツ

栗は火が通りにくいと思われがちですが、米が沸騰したあとで生の状態で加えて大丈夫です。きちんと火が通ってホクッとした食感になり、香りも高く、栗の持ち味が存分に味わえます。

焼きぶりご飯

香ばしく照り焼きにしたぶりに、土の香りのごぼうがとてもよく合います。冬真っ盛りを味わう炊き込みご飯です。

材料（3〜4人分）

米……3合（540mℓ）
だし……480mℓ
塩……ひとつまみ
薄口醤油……小さじ2
醤油……小さじ4

ぶりの照り焼き
- ぶり（切り身、70gのもの）……2切れ
- 照り焼きのたれ
  - みりん……120mℓ
  - 酒……40mℓ
  - 醤油……60mℓ

ささがきごぼうの煮もの
- ごぼう……60g
- Ⓐ
  - だし……$1\frac{1}{2}$カップ
  - 醤油……大さじ2
  - みりん……小さじ1

京にんじん（くりぬいたもの）……10個
大根（くりぬいたもの）……10個

- Ⓑ
  - だし……$\frac{3}{4}$カップ
  - 塩……ひとつまみ
  - 薄口醤油……小さじ$\frac{1}{3}$

三つ葉の軸（2cm長さ）……10本分
黄柚子の皮（あられ柚子）……少量

1 照り焼きのたれのみりんと酒を合わせて火にかけ、アルコール分をとばす。冷めたら醤油を混ぜてバットに入れ、ぶりを15分漬ける。ぶりはたれを塗りながら焼く。

2 ごぼうはささがきにして水にさらし、ゆでて水気を絞る。Ⓐを加えて5分煮て、そのまま冷まして味を含ませる。

3 くりぬきの京にんじんと大根は、別々にさっとゆで、合わせてⒷの煮汁で煮含める。

4 米は水が澄むまで5〜6回水を替えて洗い、水気をきる。土鍋に入れ、分量のだしを加えて10〜15分吸水させる。塩、薄口醤油、醤油も加え、ふたをして、沸騰するまで強火で8〜10分、泡を吹いてきたら火を少し弱めて3分加熱する。途中、米肌が見えたら2を散らして1と3をのせる。

5 ごく弱火で2分加熱し、火を止めて10分蒸らす。食べる直前に三つ葉の軸を散らす。しゃもじで上下をさっくり混ぜ、器に盛ってあられ柚子を散らす。

直伝！ おいしく作るコツ

ぶりは焼いているので香ばしい旨みがあり、べたつくこともありません。大根やにんじんは、細切りでもかまいませんが、和食の基本である姿の美しさを最高にするために、ひと手間かけて丸くくりぬきます。

親子丼

黄金色の親子丼は、
鶏肉を卵でとじるひと手間が命。
とろとろの卵がご飯にからんで食べやすく、
おいしいだしも余すことなく味わえます。

材料（1人分）

ご飯	1人分
鶏もも肉	65g
玉ねぎ	20g
三つ葉	適量
卵	2個
煮汁	
だし	$\frac{1}{2}$カップ
醤油	大さじ1
みりん	小さじ$\frac{1}{2}$弱
砂糖	小さじ$\frac{1}{2}$
のり※	少量

※香ばしくあぶり、もみのりにしておく。

1 鶏肉は一口大に切り、玉ねぎは薄切りに、三つ葉はざく切りにする。小鍋に煮汁のだしと調味料を合わせて火にかけ、鶏肉と玉ねぎをぽこぽこと沸く火加減で煮る。

2 2分ほど煮て鶏肉に火が通ったら三つ葉を加える。小ボウルに卵を割り入れ、木べらで卵黄に割れ目を入れ、鶏肉に落とす。鍋底からゆっくり混ぜ、卵に火を通す。

3 卵が半熟になったら火を止める。器にご飯を盛り、2をのせて、もみのりを散らす。

直伝！
おいしく作るコツ

1人分のご飯の量に対して、卵は多いほうがおいしいので2個を使います。卵でとじるときも、混ぜすぎないように。卵黄と卵白が均一に混ざりきるより、混ざったところ、卵黄、卵白と3つに分かれた状態で火を止めたほうが、とろりとして黄色も濃く、おいしそうになります。なお、親子丼は小鍋で1人分ずつ作るほうがよいでしょう。

器／藤平 寧

牛丼

甘辛く柔らかい牛肉の食感を、
玉ねぎの歯ざわりが引き立てます。
ご飯をおいしくいただけるよう、
煮汁を卵でとじるのがおいしいひとワザ。

材料（1人分）

ご飯	1人分
牛肩ロース肉（すき焼き用）	70g
玉ねぎ	20g
割りした	
みりん	45mℓ
酒	15mℓ
醤油	23mℓ
卵※	1個
粉山椒	少量
木の芽	1枚

※温泉卵を割り入れてもよい。

1 牛肉は食べやすく切り、玉ねぎは薄切りにする。小鍋に割りしたのみりん、酒を合わせて火にかけ、アルコール分をとばし、醤油を加えてひと煮する。玉ねぎを加えて、しんなりするまで火を通す。

2 1の鍋に牛肉を加えて箸でほぐし、ぽこぽこ沸く火加減でさっと火を通す。牛肉と玉ねぎを引き上げ、丼に盛ったあつあつのご飯にのせる。

3 小ボウルに卵を割り入れ、木べらで卵黄に割れ目を入れる。2の鍋に残った煮汁に卵を落とし、鍋底からゆっくり混ぜて卵を半熟に仕上げる。丼の牛肉と玉ねぎの上にかけ、粉山椒をふって木の芽を添える。

直伝！ おいしく作るコツ

牛肉は長く煮ると堅くなり、肉の旨みも煮汁に移りすぎてしまいます。火を入れすぎないで、赤い色が残る程度で火を止めると、余熱でちょうどよく柔らかく仕上がって、おいしい牛丼が作れます。

鯛梅茶漬け

酒蒸しした鯛に梅肉ペーストを混ぜた、
さっぱりとしたご馳走のお茶漬け。
あつあつのだしに溶けて食がすすみます。

材料（1人分）

ご飯……………………………1人分
鯛（切り身）…………………… 20g
酒………………………………少量
梅肉ペースト（瓶詰）
……………………大さじ1～1$\frac{1}{2}$
吸い地（八方だし→p.13）
……………………………1$\frac{1}{2}$カップ
のり……………………………適量
お茶漬けあられ………………少量
おろしわさび・三つ葉（ざく切り）
……………………………各少量

1 鯛は酒をふって蒸し、冷めたら細かくほぐす。梅肉ペーストを加えて、まんべんなく混ぜる。

2 のりは香ばしくあぶってちぎり、もみのりにする。

3 茶碗にご飯を盛り、もみのりを散らし、1をのせて、お茶漬けあられと三つ葉をのせる。吸い地を温めて注ぎ、わさびをのせる。

直伝！ おいしく作るコツ

「小十」でも実際にお出ししている、さっぱりいただけるお茶漬けです。梅肉ペーストは製品によって塩味が異なるので、かけつゆの塩分は好みで調整してください。

鯛ごま茶漬け

淡泊な鯛が、醤油のたれとごまだれとをくぐって、
複雑な味わいに。
だしの熱さで香りが立ち上ります。

材料（1人分）

ご飯	1人分
鯛（刺し身用）	30g
だし・醤油	各大さじ2
ごまクリーム（作りやすい量）	
練り白ごま（瓶詰）	50g
煮きり酒	$\frac{1}{4}$カップ
醤油	小さじ2
吸い地（八方だし→p.13）	$1\frac{1}{2}$カップ
のり・おろしわさび	各少量
お茶漬けあられ	適量

1 だしと醤油を合わせ、鯛を入れてペーパータオルをかぶせ、5〜10分漬け込む。

2 ごまクリームは、すり鉢に練り白ごまを入れてなめらかにすり、煮きり酒と醤油を交互に、少しずつ加えて混ぜる。

3 茶碗にご飯を盛り、あぶってちぎったもみのりを散らす。鯛の汁気をきって2にくぐらせ、ご飯にのせ、お茶漬けあられを散らし、吸い地を温めて注ぎ入れる。わさびを天盛りにする。

直伝！ おいしく作るコツ

料理店の締めのご飯としてよく出されるこの料理。鯛をづけにするたれは、「醤油とだし」の代わりに、「醤油と酒」を半々に合わせてもよいでしょう。醤油を割ることで塩辛さがマイルドになり、ごまクリームとのバランスがよくなります。

かに雑炊

おいしいだしとかにの旨み、卵の味わいが渾然となった雑炊。
お酒のあとに、お夜食に、どなたにも喜ばれます。

材料（1〜2人分）

ご飯	250g
ゆでがにの身※	100g
卵	1個
だし	2カップ
塩	ひとつまみ
薄口醤油	大さじ$\frac{1}{2}$
あさつき（小口切り）	少量

※缶詰でもよい。

直伝！ おいしく作るコツ

前日のご飯を使う場合はご飯がおいしさを失っているので、だしを含ませるために少し長めに煮ます。当日炊いたご飯を使うなら、さっと煮るだけにします。

1 炊く

鍋にだしを入れて、塩、薄口醤油を加えて味をととのえる。

2

1にご飯を加えてほぐす。当日のご飯ならそのまま、前日のご飯を使う場合は水で洗って水気をよくきる。

3

ぽこぽこと沸いてきたらかにを加える。

4

あくは出るたびに取り除く。

5 仕上げ

卵はといておく。鍋の火を弱め、とき卵を穴杓子を通してご飯の上に回しかける。

6

あさつきを散らし、素早くふたをして2〜3分蒸らす。あまり長く蒸らすと卵が堅くなるので注意する。

ちらしずし

魚介たっぷりの贅沢ちらしずし。
すしめしをおいしくする
甘く煮たしいたけごぼうを混ぜて深い味わいに。

材料（5〜6人分）

すしめし
- 米……3合（540mℓ）
- 水……480mℓ
- すし酢
  - 米酢……90mℓ
  - 砂糖……大さじ2弱
  - 塩……小さじ1 1/2

しいたけごぼう（作りやすい量。半量使う）
- 干ししいたけ……15g
- ごぼう……50g
- 干ししいたけのもどし汁……1カップ
- 砂糖……大さじ5弱
- 醤油……75mℓ
- たまり醤油……大さじ1/2

錦糸玉子
- 卵……6個
- 塩……小さじ1/3
- 薄口醤油……小さじ1

サラダ油……適量
車えび……4尾
塩……少量
まぐろ（2.5cm角）……100g
だし・醤油……各大さじ3
焼き穴子（3cm角）……70g
グリーンピース（ゆでたもの）……20g
木の芽……少量

直伝！おいしく作るコツ

すしめし用のご飯は蒸らし時間を少なめにして、堅めに仕上げると、すし酢が吸収されやすいです。そしてちらしずしの場合は、土台のすしめしそのものもおいしくいただけるように、「しいたけごぼう」を加えます。旨みだけをご飯につけるために大切なのは、しいたけもごぼうもごくごく小さく、米粒大に刻むこと。米粒より大きいとすしめしの食感を損ないます。

1 すし酢と具を用意する

すし酢の材料を小鍋に合わせて火にかけ、砂糖、塩を溶かして1割ほど煮つめる。

2

しいたけごぼうを作る。干ししいたけはたっぷりの水でもどし、ごぼうとともに米粒大に切る。鍋にしいたけとごぼうを合わせ、もどし汁と調味料を加える。沸く火加減で10分煮含め、汁気をきる。

3

錦糸玉子を作る。卵をほぐして塩、薄口醤油を混ぜ、こす。玉子焼き鍋を熱し、ペーパータオルを油に浸して拭き、卵液40mℓを流して焼く。まな板に取り出して広げ、再び戻して裏も焼く。これを繰り返す。

4

3を重ねて3等分し、端から細く切る。車えびは頭と背わたを取り、竹串を刺して塩ゆでし、殻と尾をむいて3等分する。まぐろはだし、醤油を合わせて15分ほど漬ける。

5 すしめしを作る

米は水が澄むまで5〜6回水を替えて洗い、水気をきる。分量の水を加えて炊く。ご飯を盤台に移し、熱いうちにすし酢を加える。

6

しゃもじで切るように混ぜ、ご飯にすし酢をまんべんなく含ませる。

7

ご飯が盤台の手前に寄ったら、しゃもじを返すようにしながら、ご飯を奥へ広げる。

8 仕上げ

しいたけごぼうの半量を混ぜ、盤台の中央にまとめ、ぬらして絞ったペーパータオルをかぶせておく。器にすしめしを盛り、錦糸玉子を広げ、具をのせて木の芽を散らす。

巻きずし

甘い卵、柔らかいえび、爽やかなきゅうり。
ひと口食べるごとに違う味わいが楽しめるのが巻きずしの魅力。
色とりどりの断面も華やかです。

材料（2本分）

- すしめし（→p.150）……350g
- 車えび……6尾
- 塩……少量
- しいたけの甘煮
  （作りやすい量。8枚使う）
  - 干ししいたけ…50g（約12枚）
  - 干ししいたけのもどし汁……$2\frac{1}{2}$カップ
  - 醤油……$\frac{1}{4}$カップ
  - 砂糖……75g
  - みりん……大さじ2
  - たまり醤油……小さじ4
- 玉子焼き
  - 卵……4個
  - 八方だし（→p.13）……75mℓ
- きゅうり……1本
- 三つ葉（ゆでたもの）……10本
- のり……2枚
- いり白ごま……適量
- 甘酢生姜（がり）※……適量

※新生姜100gを薄切りにして、さっとゆでてざるに上げ、塩適量をふって水気を拭き、甘酢（水450mℓ・酢240mℓ・砂糖70g）を合わせたものに1日以上漬ける。

直伝！おいしく作るコツ

すしめしをのりに広げるときは両端にも留意してご飯をのせると、端がしぼみません。また、すしめしを広げるときや巻くときは、空気を入れながらふんわりと行いましょう。こうして、せっかく上手に巻いたのり巻きも、断面がキリッとしていないと台なしです。包丁はよく切れるものを使い、切るたびにぬれぶきんで拭いて湿らせると、断面が美しくなります。

1　すしめしと具を用意する

すしめしはp.150の1、5〜7と同様に作る。車えびは背わたを抜き、尾から頭に向けて竹串を刺し、塩少量を加えたたっぷりの湯でゆで、氷水にとって水気をきる。頭と尾、殻を除く。

2

干ししいたけはもどし、もどし汁と調味料で甘煮にし、8枚をそれぞれ1cm幅に切る。玉子焼きを焼き（→p.24）、1cm×2cm×6cmの棒状に切り、6本使う。きゅうりは板ずりし、縦4等分して種を削る。

3　巻く

巻きすにのりを光沢のある面を下にして置く。すしめし半量を棒状にまとめ、のりの向こうから3cm分をあけて置く。ここがのりしろになる。

4

すしめしを手前側へ広げる。のりの両端部分へも、ていねいに隅まで広げる。つぶさないようにふんわりと行う。すしめしの上に白ごまをふる。

5

すしめしの手前から$\frac{1}{3}$あたりに、具の半量を並べる。

6

具を両手の中指で軽く押さえ、親指で巻きすを押さえて手前から一気にひと巻きし、合わせ目を締める。ご飯がつぶれないよう、巻きすで押さえて締めるのは巻き始めと合わせ目だけ。

7

巻きすの先端を起こして持ち、向こう側へ引っ張るようにして半回転させ、巻き上げる。

8　切る

両端は手で押し込み、整える。同様にしてもう1本巻く。乾いたふきんをかけておき、落ち着いたら7〜8等分する。包丁は、切るたびにぬれぶきんで拭く。皿に盛って、甘酢生姜を添える。

器／藤平 寧

手作りしたい ぬか漬け

教えて！奥田料理長

「小十」では、お食事の最後のご飯ものに添えて、ぬか漬けなどの漬けものをお出ししています。

　ぬか漬けは、ぬか自身に含まれる酵素や乳酸菌などの微生物によって発酵し、酸味や風味が生まれます。新鮮な生ぬかにだし昆布やかつお節、干ししいたけなどを加えておいしいぬか床を作ると、その旨みが野菜にしみ込んで、漬けものがよりおいしくできます。

　ぬか漬け作りは、農業のようなもの。室温や湿度などによってぬか床の状態は日々異なり、野菜の漬かり具合も違います。毎日、様子を見ながら水分が増えてきたらぬかをたし、早く食べたいなら小さく切って漬ける、少しおきたいならまるのまま漬ける、といったことを楽しみながら作ってください。

ぬかは生ぬかを使う

ぬかはいりぬかではなく、新鮮な生ぬかを使うことが大切です。きな粉のように少し甘く風味が繊細で、いわゆる「ぬか臭さ」がないので上品に仕上がります。生ぬかはお米屋さんで手に入ります。

漬けたら冷蔵庫へ

ぬか床を仕込んだら、微生物が活発になる25℃前後の、直射日光が当たらない室温に置きましょう。そしてぬか床が完成して野菜を漬けたら、今の時代は冷蔵庫がおすすめです。温度が低すぎず、適度な湿度もある野菜室がベストです。

ぬか床を休むとき

ぬか床は毎日上下を返してしっかり混ぜ、特定の菌が増えすぎないようにします。1週間ほど混ぜられないときは、野菜を取り出してぬか床を冷蔵庫で保存します。1週間以上の場合、表面に塩をたっぷりふってから冷蔵庫へ。再開するときに表面の塩を除きます。

かびのこと

混ぜずにいると、表面に白いかびが生えたり酸化して黒っぽくなることがあります。体に害はありませんが、風味を損なうのでぬか床に混ぜ込みましょう。かびが厚く生えた場合は、削り取ります。ただし赤や青などのかびの場合は、ぬか床を処分して新しく作り直してください。

香り野菜を加えるとよりおいしい

お好みや季節に合わせて、生姜や木の芽、青柚子、すだち、黄柚子などを加えるとぬか床に風味が加わります。夏は特に柑橘類を加えると酸味が加わって、爽やかにいただけます。

材料

ぬか床

- 生ぬか……1kg
- 水……1130mℓ
- 塩……85g
- だし昆布……5cm角1枚
- 干ししいたけ……30g（約10枚）
- 赤唐辛子……3本
- 削りがつお……50g

捨て漬け用野菜

- キャベツの外葉……2枚
- かぶの葉……1株分

本漬け用野菜

- きゅうり……2本
- 大根……10cm長さ1個
- かぶ……3個
- にんじん……5cm長さ1個
- みょうが……2個

塩……適量

ぬか床を作る

❶赤唐辛子の種を抜いて4等分にする。鍋に水と塩、だし昆布、干ししいたけを入れて1分沸かし、塩を溶かす。昆布は取り出して細めに切り、塩湯は急冷する。

❷大きいボウルに生ぬかと❶の塩水、切った昆布を混ぜ、全体が混ざってきたら赤唐辛子と削りがつおも加え混ぜる。

❸手で握って普通の味噌の柔らかさになれば混ぜ終わり。新鮮な生ぬかの床はおいしいので、少し食べて味を知り、香りもかいでおく。毎日床の味をみると変化に気がつきやすい。

捨て漬けする

❹捨て漬け用の野菜に塩をふって10分ほどおき、ぬか床に埋める。この野菜はぬか床の肥料のようなもの。へたりにくいしっかりした野菜を使い、1日おきに替えるとよい。

❺表面をならし、容器の側面や縁についたぬかを清潔なふきんで拭き取る。毎日上下を返して混ぜ、春夏は1週間、秋冬は2週間で酸味が出て捨て漬け完了。本漬けへ。

本漬けする

❻きゅうりは手で塩ずりをし、ほかの野菜は塩をふって10分おく。脱水されて色が冴え、よく漬かる。この作業によって漬けるたびにぬか床に塩が加わり、塩分が保て、雑菌も防げる。

❼塩をした状態。ほかにパプリカ、アスパラガスなどお好みの野菜でよい。太い野菜は漬かりやすいよう縦半分に切り、葉ものはひもでまとめる。すぐ食べないときは大きいまま漬ける。

❽ぬか床を深く掘って漬かりにくい大根やにんじんを埋めて床をかぶせ、漬かりやすいみょうがやきゅうりを上に埋める。

❾表面を手で押して空気を抜き、ならす。雑菌の素となる容器の側面や縁についたぬかを清潔なふきんで拭き取る。ふたをして冷蔵庫に入れる。一晩からまる1日で食べられる。

ぬか床がゆるくなったら

何度も漬けてぬか床の上面に水がたまったら、清潔なペーパータオルで吸い取る。ぬか床がゆるくなったり減ったら、捨て漬け終わりの状態に戻るまで生ぬかをたして混ぜ、塩適量も加える。

牛しゃぶの冷やしそうめん

繊細なそうめんに柔らかな牛しゃぶ肉をのせれば、一品で満足のボリューム感に。コクのあるごまつゆが麺と肉にまとい、味わいが深まります。

材料（2人分）

そうめん（1束50gのもの）……2束
牛ロース肉……100g
ごまつゆ
- だし……$\frac{1}{2}$カップ
- 醤油・みりん……各小さじ4
- 練り白ごま（瓶詰）……大さじ3

たたき薬味（作りやすい量）
- 長ねぎ……$\frac{1}{2}$本
- みょうが……3個
- 青じそ……10枚
- ラディッシュ……2個

いり白ごま……適量

1 だし、醤油、みりんを合わせてひと煮立ちさせ、練りごまをすり鉢ですってのばす。長ねぎ、みょうが、青じそはせん切りに、ラディッシュは薄切りにし、合わせて氷水でさらして水気をきる。

2 牛肉は80℃の湯にくぐらせ、箸で泳がせてすぐ氷水にとり、水気をきる。3〜4等分する。

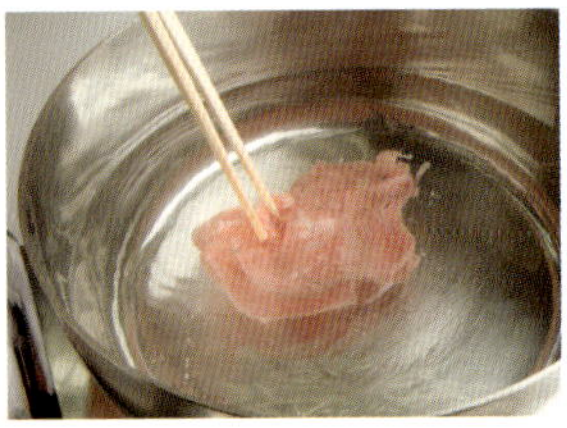

3 そうめんはたっぷりの湯でゆで、氷水にとってもみ洗いをし、水気をきる。

4 鉢に氷を入れる。そうめんをひと口分ずつ箸に巻きつけて箸を抜き、食べやすいかたまりにして山高く盛る。牛肉を添え、たたき薬味適量を天盛りにし、ごまをふる。ごまつゆを添える。

直伝！ おいしく作るコツ

そうめんのような繊細な麺に肉類を添える場合は、口あたりがなめらかで柔らかい、薄切りの牛肉が合います。湯でさっとしゃぶしゃぶにします。たたき薬味は香味野菜をミックスしたもの。複雑な香味、味わいがあり、薬味としては欠かせません。多めに作ったら、冷ややっこの薬味に、刺し身のあしらいに、肉のサラダなどにと活用できます。

鶏たたきの冷やしうどん

のどごしもよい冷やしうどんには、
歯ごたえのある鶏肉のたたきを添えて。
醤油味のかけつゆが、
鶏肉の淡泊さによく合います。

材料（2人分）

手延べうどん（乾麺）……200g
鶏ささ身……100g
塩……少量
つゆ
- だし……$1\frac{1}{2}$カップ
- 醤油……$\frac{1}{4}$カップ
- みりん……$\frac{1}{4}$カップ

貝割れ菜……少量

1 鶏ささ身は、塩少量をふったバットに置き、上からも塩をふって5〜10分おく。鶏ささ身に3〜4本の金串を末広に刺し、強火の直火であぶる。表面に焼き色がついたら裏返し、裏も焼く。5〜7㎜厚さに切る。

2 うどんはたっぷりの湯でゆで、氷水にとってもみ洗いをし、水気をきる。つゆはだしと調味料を合わせて、ひと煮立ちさせる。

3 ガラス鉢に氷を敷く。うどんは、ひと口分ずつ箸に巻きつけて抜き、重ねるようにして盛る。薄切りの鶏ささ身のたたきと貝割れ菜をのせる。青紅葉をあしらって、つゆを添える。

直伝！ おいしく作るコツ

そうめんに比べてうどんは太く、味も力強いので、合わせる具も歯ごたえがある鶏肉や豚肉とよく合います。焼き霜にした香ばしさもまた、味を骨太にしてくれ、全体のボリューム感をアップさせてくれます。

おいしい味噌汁

味噌汁の具は、なにより季節感が大切。時季の野菜に豆腐や油揚げなどの大豆製品、海藻、乾物などを取り合わせ、2種類ほど用意します。ときには魚や肉を具にする場合もあるでしょう。

だしは、「煮干しと昆布のだし」が味噌の風味を引き立てます。煮干しのだしを雑味があると嫌うかたもいますが、頭やわたを除けば大丈夫です。ていねいに旨みを出しきった煮干しのだしは、上品で、しっかりしたおいしさがあります。

味噌は、季節によって使い分けるといっそうおいしくいただけます。春は田舎味噌に赤味噌を3割ほど加えると、春の苦みのある野菜にぴったりです。暑い夏には、渋みが独特の風味を持つ赤味噌100%できりっとした味わいに。冷え込み始める秋は、赤味噌7割に少し甘みのある白味噌3割を混ぜて。冬本番には、白味噌をベースに田舎味噌を3割ほど入れるとボリューム感が出て、体がいっそう温まります。

味噌汁のだしのとり方

材料

材料（作りやすい量）

煮干し……50g

だし昆布……10g

水……1ℓ

❶煮干しは頭とはらわたを取り除く。残しておくと、だしに苦みが出る。

❷鍋に煮干しと昆布、水を入れる。

❸強火にかけて沸かし、あくが出たら取り除いて火を弱め、再びあくが出たら取り、火を徐々に弱めていく。これを続けると、5分後くらいには大きなあくは出なくなる。

❹あくが出なくなったら、ごく弱火で20分ほど煮出す。

❺ざるにペーパータオルを敷き、❹をこす。

❻旨みがしっかりと出た、煮干しと昆布のだしが完成。

秋

きのこの味噌汁

しめじ、なめこなど、秋の味覚のきのこ数種を取り合わせる。赤味噌７割に西京白味噌３割を混ぜると冷え込む晩にふさわしい味わいに。

春

若竹汁

春の息吹を満喫するお味噌汁。旬のたけのこと、この時季の出合いものの生わかめを取り合わせて。たけのこはゆでて、わかめはざく切りに。味噌は田舎味噌７割、赤味噌３割で溶く。

冬

かぶと厚揚げの味噌汁

かぶは茎を残して一口大に切る。油揚げは熱湯をかけて油抜きし、短冊切りにして八方だし（→p.13）で煮含めておく。具をだしで煮て、西京白味噌７割に田舎味噌３割を合わせ、こっくりと仕上げる。

夏

焼きなすとじゅんさいの味噌汁

身の詰まったなすを直火でこんがり焼き、皮をむいて一口大に切り、八方だし（→p.13）に浸しておく。この季節の採れたてのじゅんさいと合わせる。赤味噌だけを使い、夏らしくさっぱりした味わいに。

鯛の潮《うしお》汁

ひと口すすると、鯛そのものが持つ旨みの深さや塩味に気づかされます。じっくり煮出して作る潮汁です。

材料（約6人分）

鯛の頭（半割りにしたもの）1枚（1/2尾分）
鯛のあら……約200g
塩……少量
潮汁
- 水……1.6ℓ
- 酒……160mℓ
- だし昆布……5cm角1枚
- 塩……小さじ1/2

うど※……適量
木の芽……少量

※かつらむきにし、ごく細いせん切りにして水に放して白髪うどにする。

1 鯛の下ごしらえ

鯛の頭とあらは、食べやすく切る（→p.169）。バットに塩をふって鯛を置き、上からも塩をふって10分おく。たっぷりの湯に穴杓子にのせた鯛をくぐらせ、氷水にとる。流水で洗う。

2 鯛を煮出す

鍋に分量の水と酒、だし昆布を合わせ、鯛を入れて、強火にかける。

3

煮立つとあくが出てくるので、ていねいに除き、あくが出なくなったら火を弱める。

4

あくが完全に出なくなったら昆布を引き上げ、15分ほど煮出す。火を止めてそのまま30分ほどおき、煮汁をこして鯛と潮汁に分ける。

5 仕上げ

潮汁は温めて、塩を加えて味をととのえる。椀に鯛を盛って熱い潮汁をはり、白髪うど、木の芽を添える。

直伝！ おいしく作るコツ

鯛の頭やあらから旨みだけをしっかり引き出すには、まず80℃くらいの湯で霜ふりして雑味を取り除き、流水でていねいに洗う、といった下ごしらえのひと手間も万全に行いましょう。中途半端ではかすかに生臭みが残り、潮汁の本当のおいしさが生まれません。時間があれば、火を止めてから1～2時間そのままおき、存分に鯛の旨みを汁に抽出します。

潮汁とは？

鮮度のよい魚介類を水から煮出した、塩味のすまし汁のこと。だしを使わず、魚介の味そのものを生かします。本来は海水で仕立てたとされたことから、「潮」という名前がついています。使う魚介は鯛をはじめ甘鯛、さわら、すずきなどの白身魚のあらや骨つき、はまぐりやあさりなどの貝類など。吸い口として、木の芽や柚子の皮など四季折々の香りを添えましょう。

はまぐりの潮汁

はまぐりの身が柔らかいまま、旨みが最高に出た潮汁です。ひな祭に欠かせない、春を象徴するお椀です。

材料（2～3人分）

はまぐり（殻つきで130g）……3個
塩……大さじ$\frac{1}{2}$
潮汁
- 水……$3\frac{1}{2}$カップ
- 酒……70mℓ
- だし昆布……5cm角1枚
- 塩……小さじ$\frac{1}{4}$弱

うど……4cm長さ
酢……適量
生わかめ（一口大に切ったもの）……ひとつまみ
炊きわらび（→p.60）・木の芽……各少量

1 700mℓの水（分量外）に塩大さじ$\frac{1}{2}$（塩分1％）を溶かし、はまぐりを30分～1時間浸し、砂抜きする。水洗いをして鍋に入れ、分量の水、酒、だし昆布、塩を加える。

2 ひと煮立ちさせ、あくは鍋の端に寄せて除く。ぽこぽこ沸く火加減で煮て、殻が開いた貝から順に引き上げる。長く煮るとだしは出るが、身がやせる。殻から身を取り出しておく。

3 2の煮汁をこし、はまぐりの身を半日浸す。

4 うどは皮をむいて短冊に切り、酢水に放す。はまぐりの身の堅いひだに切り目を入れ、貝殻に収めて椀に盛る。うど、わかめ、わらびをあしらい、3の汁を温めて注ぎ、木の芽を添える。

直伝！ おいしく作るコツ

一般には、貝の砂出しに使う塩水は海水の濃さ（塩分2～3％）といわれますが、私は食べ頃の塩分濃度1％にしています。はまぐりが塩水の中で砂を吐くとともに塩水を吸うことで、潮汁に塩味をつけなくても、ちょうどよい味加減になるからです。貝は長く煮ると汁に旨みはよく出ますが身がやせるので、貝が口を開いたらすぐ引き上げます。その汁に浸せば、旨みを汁に充分に移しながら、身もふっくらと仕上がります。身は大きければ、半分に切ってください。

玉子豆腐とにゅうめんのお吸いもの

口あたりなめらかな玉子豆腐は、椀だねにもどうぞ。
するっとのどを通るおいしさににゅうめんを添えて、
満足感のあるお吸いものに。

材料（2人分）

玉子豆腐（21cm×21cmの流し缶1個分・10等分して2個を使う）

- 卵……6個
- 八方だし（→p.13）……$2\frac{1}{4}$カップ

そうめん……$\frac{1}{4}$束

吸い地（八方だし→p.13）……$1\frac{1}{2}$カップ

すだち（薄切り）……4枚

1 大きめのボウルに卵を割り入れ、泡立て器でよくほぐす。

2 卵液に八方だしを加え、泡立て器でよく混ぜる。こし器に通すので、泡が立ってもよい。

3 2をこして流し缶に入れる。こし器に残った卵液は、泡立て器で混ぜてこし入れる。蒸気の立った蒸し器に入れ、強火で3〜5分、火を弱めて5〜7分蒸す。冷めたら型から静かに抜き、10等分する。

4 そうめんはゆでて氷水にとってさらし、水気をきる。椀に玉子豆腐を盛り、そうめんを箸に巻いて形を整えて添える。吸い地を温めてはり、すだちを吸い口にする。

沢煮椀

根菜の味、風味は、細く切りそろえることで洗練されます。お椀いっぱいの野菜を堪能できるお吸いものです。

材料（2人分）

- にんじん・大根・うど・ごぼう……各30g
- しいたけ……15g
- 三つ葉……4～5本
- だし……$1\frac{1}{2}$カップ
- 塩……小さじ$\frac{1}{4}$
- 薄口醤油……小さじ1
- 醤油……小さじ$\frac{1}{2}$
- 吸い地（八方だし→p.13）……$1\frac{1}{2}$カップ
- 黄柚子の皮（あられ柚子）……少量

1 にんじん、大根、うどは皮をむいてせん切りにする。ごぼうは皮をこそげて細いささがきに、しいたけはせん切りにする。うどとごぼうは水にさらす。三つ葉はさっとゆでてざく切りにする。

2 鍋にだしと三つ葉以外の野菜を入れて火にかけ、沸いたらあくを取る。塩を加えて味みをし、薄口醤油、醤油も加える。

3 ぽこぽこ沸く火加減で火を通し、野菜の食感が残る程度で火を止めて、三つ葉を加える。椀に野菜を盛り、温めた吸い地をはる。あられ柚子をのせる。

直伝！ おいしく作るコツ

野菜の大きさを切りそろえるのがポイント。そして、柔らかく煮すぎてはこの料理の魅力がなくなります。シャキッとした歯ごたえを残してください。豚背脂を、同じように細く切って加えてもよいでしょう。

1 鍋に湯を沸かし、白子を網にのせて入れ、表面が白くなるまで火を通して氷水にとり（霜ふり）、水気をきる。長ねぎは網焼きして一口大に切る。

2 聖護院かぶは、水気をしっかり絞る。吸い地を沸かし、おろしたかぶを加える。

3 沸いてきたらだしで溶いた葛粉を回し入れてよく混ぜ、とろみをつける。椀に長ねぎを敷き、白子を2切れずつ盛って汁を静かにはる。吸い口のあられ柚子を散らす。

直伝！ おいしく作るコツ

かぶのすり流し汁は、鯛、甘鯛、ひらめ、さわらといった上品な白身魚や、鶏肉などで作ってもおいしくいただけます。その場合は、どれも塩をして酒蒸ししてから使います。

白子のすり流し汁

とろみのあるかぶのお椀は、寒い季節に体を温めます。冬の時季だけに出回る白子で作れば贅沢感も増し、かぶと白子の舌ざわりは最高の組み合わせに。

材料（2人分）

白子[※1]……4切れ
聖護院かぶ[※2]（すりおろして水気をきったもの）……40g
長ねぎ……1/4本
吸い地（八方だし→p.13）……1カップ
だし・葛粉……各小さじ1
黄柚子の皮（あられ柚子）……少量

※1　ふぐ、たらなど、いずれの白子でもよい。
※2　手に入らないときは、天王寺かぶのような大きいかぶを使う。

知っておきたい 魚のさばき方

あじの三枚おろし

三枚おろしとは一尾魚の頭を切り落として、上身、下身、中骨の3枚に切り離すこと。この三枚おろしができないと、一尾魚から料理を作ることができないので、覚えておきたいものです。いちばん身近でおろしやすいあじを使って、三枚おろしの練習をしましょう。さばやいわしなど、紡錘形をした魚に共通する基本の三枚おろしの方法です。

うろこ、えら、内臓、頭を取る

❶頭を左に、腹を手前にしてまな板に置き、出刃包丁の刃先でうろこをこそげ取る。包丁を持つ手首を固定する感覚で、ひじから動かすと切っ先が思いどおりに動き、細かい部分をこそげやすい。

❷体の両脇にあるぜいごを取る。頭を左にしてあじを左手で押さえ、包丁を寝かせて、切っ先をぜいごの下に尾のほうから入れる。ぜいごを左指で押さえ、頭に向かって包丁を前後に動かして切り取る。裏側も同様に行う。

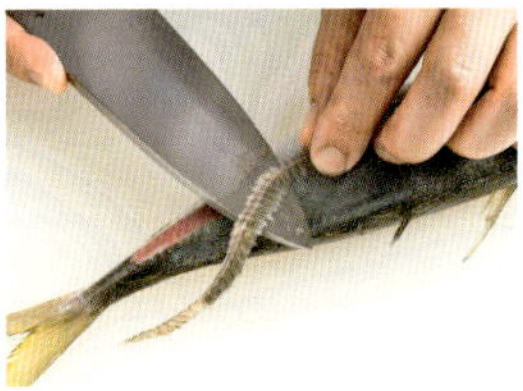

❸えらを取る。頭を左に背を手前にして置き、包丁の切っ先を上側のえらぶたから差し込んで、えらとあごのつなぎ目を切り離す。

❹切っ先を下側のえらぶたから差し込んで、魚を持ち上げながら、えらを引っ張り出す。

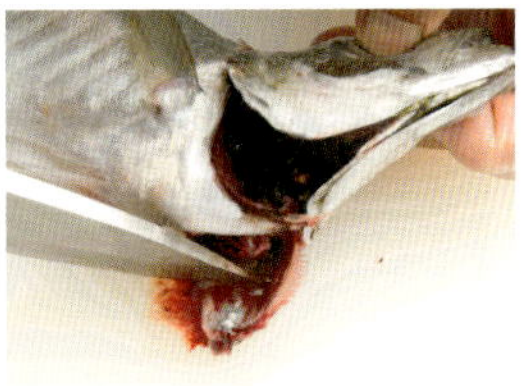

❺胸びれの際から包丁を入れ、包丁が中骨に当たるまで、やや斜めに切り込む。

❻裏返して、同様に胸びれの際から、中骨に当たるまでやや斜めに切って、頭を切り落とす。

❼刃先を頭のほうに向けて腹に包丁を入れ、皮を切るように腹びれまで切り進む。

❽腹わたをかき出して除いたあと、水洗いする。歯ブラシで腹の内側を流水で洗い流す。

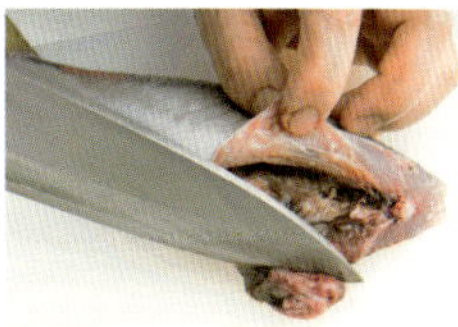

おろす

❾魚の外側、内側とも水気を拭いて再びまな板に頭を右上に、尾を左下に、背を左にして置く。上身の腹わたを出した部分に包丁を入れ、尾のつけ根まで切り開く。包丁を少し下向きにして骨の上にそわせながら、中骨まで切り開く。

❿あじを180度回転させ、頭を左下に、尾を右上に置き直す。尾から頭に向かって、骨の上にそわせながら包丁を入れ、中骨まで切り開く。

⓫左手で身を持ち上げて、中骨の上に包丁をすべらせながら身を切り離す。尾の部分も切って離す。

⓬身をひっくり返す。下身も同様にして、腹と背との両側から中骨まで切り開く。

⓭身を持ち上げ、包丁を中骨の上を滑らせるようにして切り離す。

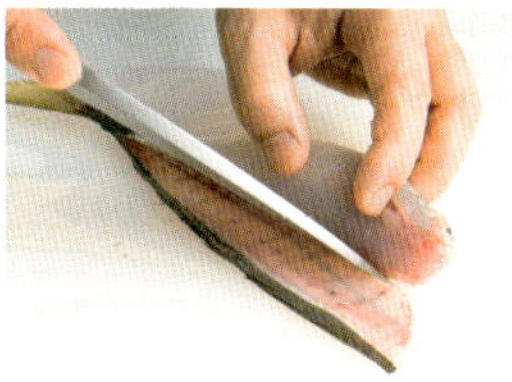

⓮尾も切り離す。こうして、上身、下身、尾のついた中骨の「三枚」になる。

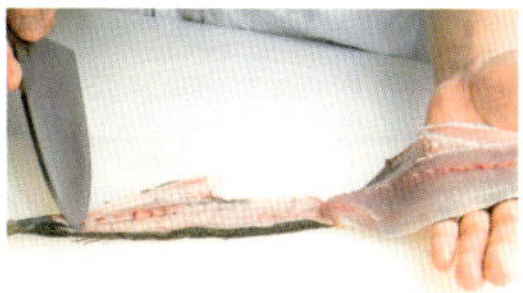

⓯両身とも腹骨の部分を骨にそってそぎ切る。

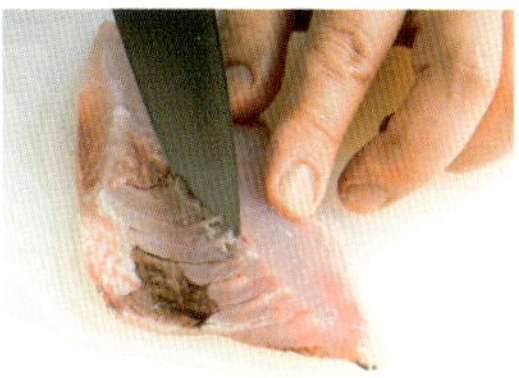

⓰腹骨を除いたあとの、小骨の部分もきれいにそぎ切る。

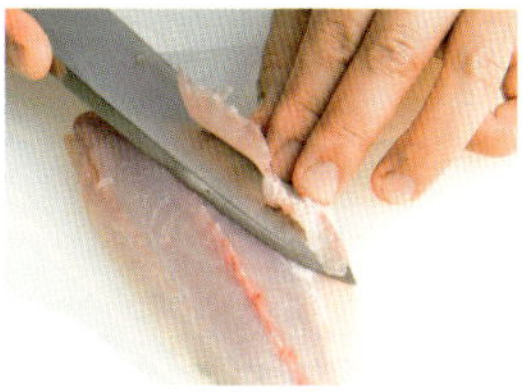

⓱まわりの皮なども、きちんと切り取る。これで三枚おろしが完成。

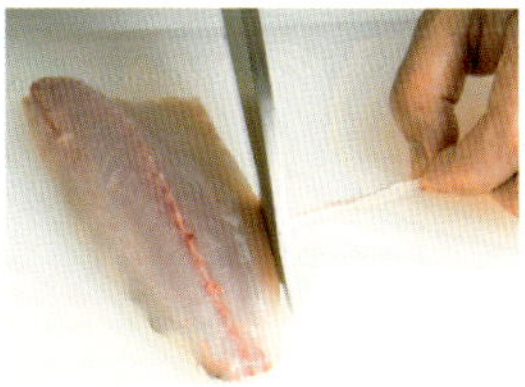

いかの開き

いかには多くの種類がありますが、なじみ深くて扱いやすいのは、するめいか（真いか）です。新鮮なするめいかの刺し身は、甘みがあってしなやかな食感で、最高のおいしさ。お刺し身ができるように、おろし方のコツを覚えましょう。

わたを抜く

❶胴の中に人差し指を差し込み、つながっている部分をていねいにはずす。

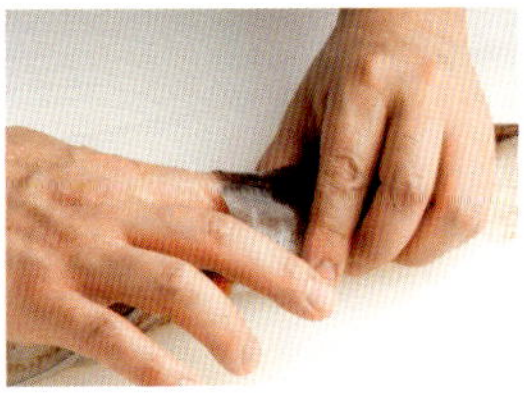

❷足をゆっくり引き出すと、くっついているわたも一緒に取れる。

胴をおろす

❸胴の両脇についている三角形のえんぺらを引っ張ってはがす。

❹胴の内側にある透明な軟骨を抜き出す。

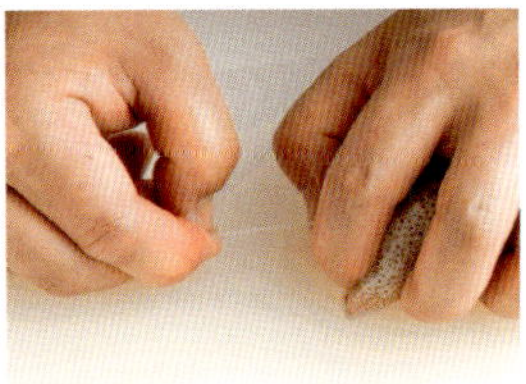

❺軟骨のあったくぼみにそって、縦に包丁を入れて胴を切り開く。

皮をむく

❻胴の内側の皮を端からつまみ、ぬれぶきんを使って引っ張ってむく。外側の皮も端からつまんでむく。むきにくい場合は、ペーパータオルやぬれぶきんでこするようにするとよい。

❼縦半分に切り、胴の下部のむきにくい、残った皮は切り取る。

❽身を切り離さないようにしながら、薄皮まで深く切り目を入れる。これで内側のもう一枚の薄皮がつまめるようになる。

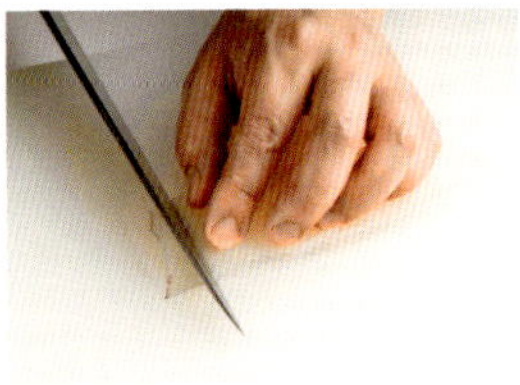

❾胴の端から薄皮をむく。

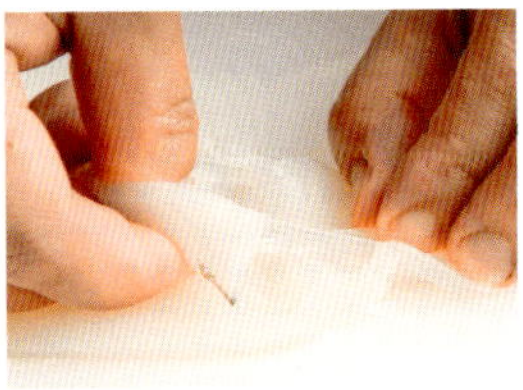

足を掃除する

❿わたにくっついた細くて黒い墨袋を取り除く。新鮮なわたなら、いかの刺し身を和えたり、塩辛などに使うとよい。

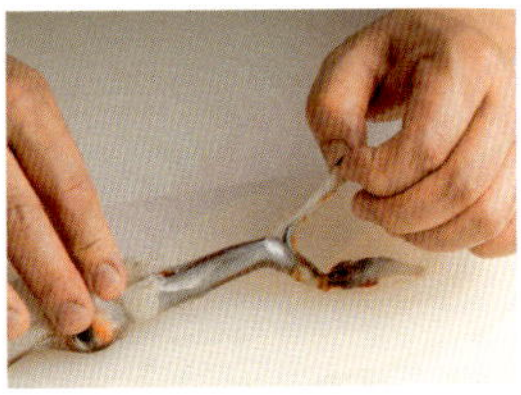

⓫つけ根を切り開いてくちばしを取り除き、目の下あたりに包丁を入れてわたと足を切り離す。

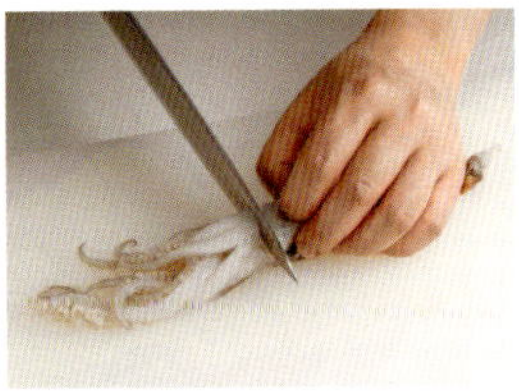

⓬吸盤をしごき取り、長い足の先端は切り落とす。

鯛の頭のさばき方

鯛は古来、日本人に非常に大切にされ、祝いごとなどに欠かせない魚の王様。姿と色が美しく上品で、一尾まるごと、頭もかまも、皮までもおいしくいただける魚としても知られます。

頭とかまは潮汁やあら炊きに使いますが、その切り方の美しさで料理の品が違ってきます。出刃包丁を使っておろしてみましょう。スーパーなどで、頭やかまだけが売られていることもあります。

❶頭は断面を下にしてまな板に置き、左手で固定する。出刃包丁の切っ先を口から差し込み、まな板まで到達させる。柄を下げて頭を半分に割り、包丁の峰をたたいて切り離す（梨割り）。

❷頭を左に向けてまな板に置き、下あごの部分を切り離す。裏側も同じように切り離す。

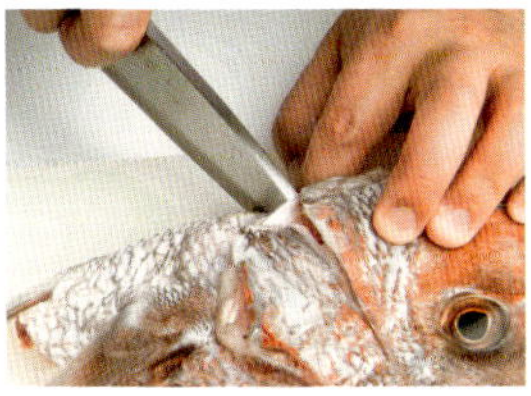

❸胸びれから少し頭に近いところで、かまを切り離す。

❹かまは、胸びれのつけ根のところで、２等分する。

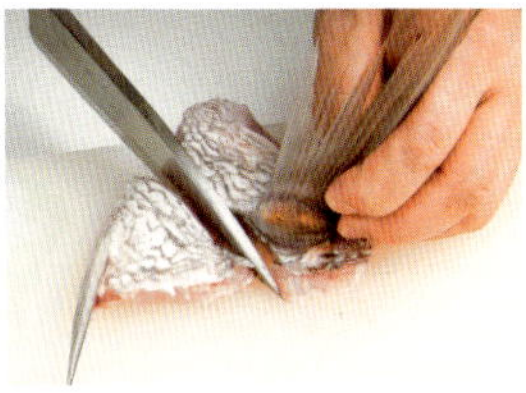

❺胸びれを、包丁の刃元で切り落とす。

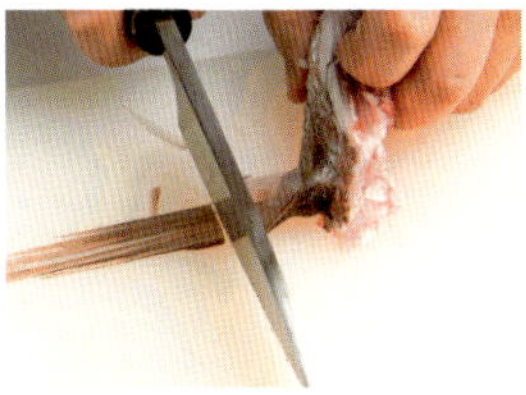

❻頭の部分は、目玉と口の中間に包丁を入れると、バランスがよい。

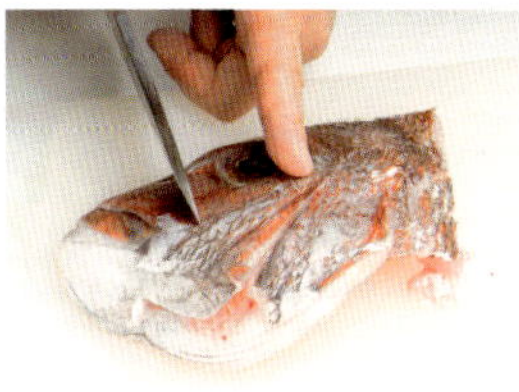

❼頭の骨は堅いので、頭を左手で押さえてしっかり固定し、包丁の切っ先から刃を入れる。

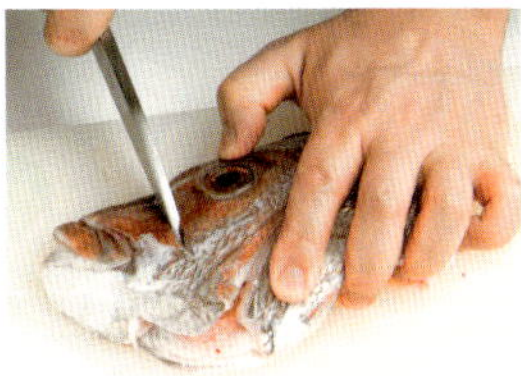

❽口元の部分を切り離すために、包丁の刃元でたたく。

❾裏側からも❼と同じところに包丁を入れて、切り離す。

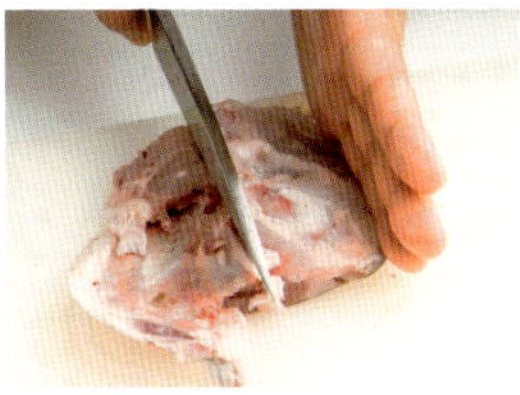

❿裏側から❽と同じところを、包丁の刃元でたたく。

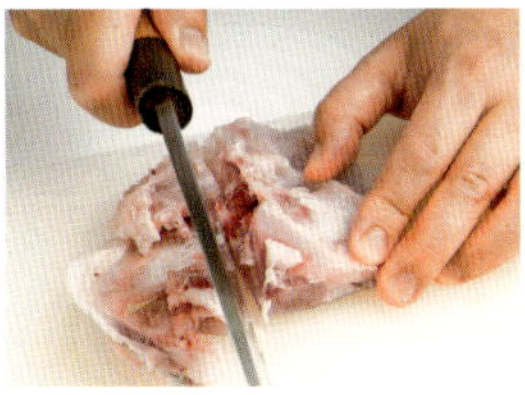

⓫えらぶたの身のついていない部分を切り落とす。目の部分が四角形に切り離される。

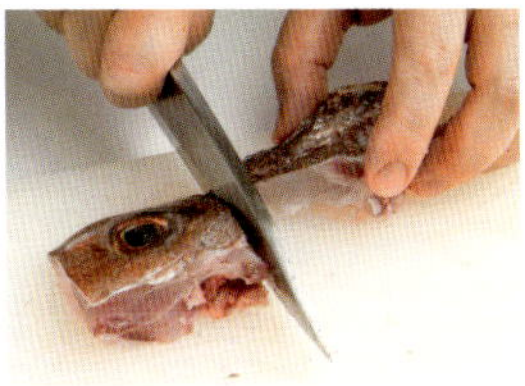

⓬切り分けて、頭半分で４個、計８個になる。

レシピに登場する用語解説

料理レシピには、普段聞き慣れない
専門の言葉がたくさん出てきます。
レシピがよくわかるよう、
この本で使っている主な料理用語を簡潔に説明します。
レシピで迷ったとき、探してみてください。

【あ】

和《あ》える
下ごしらえした材料に、調味料や調味した衣をからませること。白和え、梅肉和えなど。

あく抜き、あくを取る
肉や魚、野菜などに含まれるえぐみや渋みなどを取り除くこと。下ごしらえとして行うときは「あく抜き」といい、ごぼうを水にさらしたり、こんにゃくをゆでたりする。材料を煮るときに浮いてきた白い泡状のもの（あく）をすくい取ることを「あくを取る」という。

味をととのえる
仕上げの味みでたりないものを補い、ちょうどよい味加減にすること。塩、醤油などを少量加えて調節する。

油抜き
油揚げや厚揚げ、さつま揚げなど、油で揚げてある加工品に熱湯をかけたり、さっとゆでることで表面の油を取り除くこと。油臭さを取り、味をしみ込みやすくする。

油をきる
天ぷらやから揚げなどの揚げもので素材を油から引き上げたとき、素材についている余分な油を落とすこと。金網の上に置くことが多く、からりと軽く仕上がる。

あら
魚の身を切り取った残りの、頭やかまなどのこと。ぶりや鯛など、味がよい魚のあらは煮ものや蒸しものなどに使う。

粗熱《あらねつ》を取る
加熱した材料や料理を、手で触れられるぐらいまで冷ますこと。そのまま自然に置いたり、ぬれぶきんを鍋底に当てるなどの方法がある。「人肌に冷ます」も同じ意味。

あられ柚子《ゆず》
黄柚子の皮を、ごく小さい角切りに切ったもの。秋から冬にかけて、黄柚子の時季の料理の仕上げに散らす。

石づき
きのこの軸の根元の堅い部分のこと。堅くて食べられないので、包丁で切り落とす。

潮汁《うしおじる》
鮮度のよい魚介を、昆布と一緒に水から煮出した吸いもの。味つけは酒と塩。素材の持ち味がストレートに生きる。鯛のあらやはまぐりなどで作ることが多い。

裏ごし
ゆでた素材を裏ごし器にかけて、きめ細かくすること。または液体状のものをざるに通して、よりなめらかにすること。いもやかぼちゃは冷めると堅くなって裏ごししにくいので、熱いうちに行うのが鉄則。

追いがつお
だしや煮ものの仕上げに削りがつおを加え、旨みや風味を加えること。だしのようにあとでこす場合は直接加えるが、煮もののように取り出す場合は、ガーゼなどに包んでのせるとよい。

おろす
一尾魚を部位ごとに切り分ける下処理のこと。「さばく」ともいう。うろこ、頭、内臓、骨などを取り除くことをいい、三枚おろし、五枚おろしなどがある。

【か】

隠し包丁《ぼうちょう》
堅い素材、味のしみ込みにくい素材、火の通りにくい素材に入れる切り目のこと。盛りつけて裏側になるところや目立たないところに入れる。おでんの大根に入れる十文字や、こんにゃくに入れる細かい切り込みなど。

かぶるくらいの水
鍋に材料を平らに入れ、水を加えたときに材料全部がぎりぎりでつかっている量の水。

皮目《かわめ》
魚や鶏肉の皮がついた部分、皮がついた面のこと。「皮目から焼く」というのは、皮のついた側から先に焼くこと。

切り身
大型の魚の身を、適当な大きさに切ったもの。鮭、たら、さわら、ぶり、鯛など。

化粧塩《けしょうじお》
魚を一尾のまま塩焼きにするときに、胸びれや尾びれにたっぷりつける塩のこと。焼き上がりの姿がよくなる。あじ、鮎、鯛などに使うことが多い。

【さ】

酒蒸《さかむ》し
素材に酒をふって蒸し上げること。白身魚や貝、鶏肉など、淡泊な材料を上品に仕上げるときに使う加熱法。魚の場合は器に魚をのせて酒をふり、蒸し器で蒸す。あさりなどの貝類は鍋に入れて酒をふり、ふたをして蒸し煮にする。煮汁もおいしくいただける。

ささがき
ごぼうでよく用いる切り方。左手で材料を回しながら、右手に持った包丁で先がとがるようにそぎ切る。鉛筆を削るようなイメージで行う。

三杯《さんばい》酢
合わせ酢のひとつ。酢、醤油、砂糖を合わせたもの。

三枚おろし
魚のおろし方のひとつ。頭と内臓を取り除き、腹側から骨にそって包丁を入れ、片身を切り離す。もう片方も切り離し、2枚の身と1枚の骨の計3枚になる方法。

塩ずり
素材に塩を多めにまぶして手や指ですり込み、表面の繊毛などを取り除いたり下味をつける。きゅうりやオクラなどに行う。

塩をする
素材に塩をふったり、料理の途中で加えること。下味をつけたり、味つけするときに使う。

下味《したあじ》をつける
材料にあらかじめ味をつけておくこと。魚や肉に塩や香辛料をふったり、合わせ調味料にしばらくつけて薄く味をつけたりする。

下ゆで
調理する前の下ごしらえとして、材料をさっとゆでておくこと。あくを抜いたり、味をしみ込みやすくする。大根を下ゆでするときは、米のとぎ汁を使うことが多い。

しめる
魚などの身を引き締めること。酢につけてたんぱく質を変性させる「酢じめ」、昆布に包んで脱水しながら昆布の旨みをまとわせる「昆布じめ」などが代表的。生けじめなど、魚や鶏を殺すこともいう。

霜《しも》ふりにする
魚や肉を湯に通して、表面にさっと熱を通すこと。たんぱく質が変性して白く霜がおりたようになることから、この名がついた。素材や目的に応じて、湯の温度を熱湯や80℃などに変える。

醤油洗い
少量の醤油を素材にからませ、余分な水分を取りながら薄く下味をつけること。和えものの下ごしらえで行うことが多い。

少量《しょうりょう》
親指と人差し指の2本でつまんだ分量。塩なら約小さじ1/30、0.2gに相当する。

白髪《しらが》ねぎ
長ねぎの白い部分を4～5cm長さに切り、細いせん切りにして水にさらしたもの。白髪のように真っ白く細い姿から、この名がついた。

素揚《すあ》げ
素材に衣や粉などをつけず、そのまま油で揚げること。素材の色と形を生かすことができる。

酢洗い
酢を使う料理で、少量の酢を材料にからませ、余分な水分を取るとともに薄く下味をつける下ごしらえ。

すが立つ
茶碗蒸しや玉子豆腐などの卵料理、豆腐料理などで、加熱しすぎなどが原因で表面に小さな穴ができること。

すり身
魚介や鶏肉などをすり鉢やフードプロセッサーなどでなめらかにすりつぶしたもの。つみれやしんじょなどの材料になる。

ぜいご
あじの尾びれから体側の中央に走っている、とげとげした堅いうろこ。あじをおろすときに、まず最初にそぎ落とす。

そぼろ
ひき肉や卵、えび、魚の身などをぽろぽろの状態になるまで鍋でいったり、いり煮にしたもの。

【た】

だし溶き片栗粉・だし溶き葛粉
だしで片栗粉や葛粉を溶いたもの。粉を煮汁に加えてとろみをつけるとき、そのままではダマになるので、あらかじめだしで溶いてから加える。水で溶くよりも煮汁が薄まらないていねいな方法。だしの量は、粉と同量から2倍量。

たっぷりの水
材料を鍋に入れ、水を加えたときに材料が完全に浸る水の量。

茶巾《ちゃきん》に絞《しぼ》る
ラップやぬれぶきんなどに柔らかい材料を包み、とじた口をねじりながら絞り、絞り目をつけたもの。さつまいも、かぼちゃ、ゆで玉子などを裏ごしして味つけしたものに使うことが多い。絞り目はつかないが、手まりずしは同じ方法で形作る。

とぐ
米を「とぐ」とは、米についた米ぬかや汚れを水とともに洗うこと。また切れにくくなった包丁の手入れについても「とぐ」という。

とろみをつける
とろりとした状態にすること。片栗粉を水で溶いて、煮汁に加えることが多い。

【な】

鍋肌《なべはだ》
鍋の内側のこと。「鍋肌から入れる」とは、鍋の内側にそって、液体調味料や油などを回し入れること。材料に直接かけないことで、味むらができにくい。

煮きる
酒やみりんのアルコール分を、加熱して蒸発させること。煮きったものを「煮きり酒」「煮きりみりん」という。和えものや酢のもののようにそのまま食べるときに、ツンとしたアルコール分で料理の味を損なわないために用いる。煮ものなど加熱する場合は行う必要がない。

煮つける
少なめの煮汁で、煮汁がほどんどなくなるまで材料を煮ること。甘辛くこってりした味が多い。このように煮たものを「煮つけ」という。

煮つめる
材料に火が通るまで煮て、煮汁がほとんどなくなるまでさらに煮ること。また煮汁やたれの水分を煮て蒸発させ、味を濃厚にすること。

煮含める
薄味のたっぷりの煮汁で、材料をゆっくり、芯まで味を含ませるように煮ること。含め煮ともいう。

ぬた
酢味噌や芥子酢味噌で、あらかじめ下ごしらえした素材を和えた料理。まぐろや酢じめのあじ、ゆでた貝、わかめ、わけぎなどを使うことが多い。

ぬめりを取る
里いもやゆでたわけぎ、魚介などのぬるぬるした成分を取り除くこと。さっとゆでて水で洗い流したり、塩でもんだりと素材によって方法は変わる。

熱湯《ねっとう》にくぐらせる
沸騰した湯に材料を入れ、すぐに引き上げること。「熱湯に通す」ともいう。

【は】

針生姜《はりしょうが》・針柚子《はりゆず》
針のようにごく細く切った生姜や柚子皮のこと。生姜は薄切りに、柚子は皮を薄くそいで、それぞれ重ねて端からごく細く切って水にさらす。

火加減
調理に合わせて火の強さを調節すること。加熱中に状態をみながら強くしたり弱くしたりする。

ひたひたの水
鍋に材料を平らに入れ、水を加えたときに材料の頭が出るか出ないかぐらいの水の量。

ひと塩
材料に薄く塩をふったり、薄い塩味をつけること。干物で「ひと塩」という場合、塩分を控えめにした薄い塩味のこと。

ひとつまみ
親指、人差し指、中指の3本でつまんだ分量。塩約小さじ$\frac{1}{12}$で、0.5gに相当する。

ひと煮する
温める程度に煮ること。煮汁は沸騰させせない。

ひと煮立ちさせる
煮汁が沸騰してから、ほんの少し煮て火を止めること。

ポン酢
柑橘類の果汁を使った合わせ酢のこと。だいだい、柚子、すだち、かぼすなどを使う。ここに醤油を加えると、ポン酢醤油になる。

【ま】

松葉柚子《まつばゆず》
柚子の皮を松葉の形に見立てたもの。皮を細い短冊状に切り、片端をつけたまま中央に切り目を入れて左右に開く。

まぶす
粉や細かいものを、全体にむらなくつけること。から揚げのときの薄力粉、葛たたきのときの葛粉など。

水気《みずけ》をきる・水気を取る
素材についている余分な水分を取ること。水につけた材料をざるに上げたり、野菜を振ってまわりの水分を落としたり、魚の水分をペーパータオルなどで拭き取ったりする。

水気を絞る
ゆでたり煮たり水でもどした素材の水分を、手で絞って除くこと。ゆでたほうれん草は手でぎゅっと絞り、塩もみしたきゅうりは両手でぎゅっと握ったりする。

水溶き片栗粉・水溶き葛粉
水で片栗粉や葛粉を溶いたもの。粉を煮汁に加えてとろみをつけるとき、そのままではダマになるので、あらかじめ水で溶いてから加える。水の量は、粉と同量から2倍量。

水にさらす
切った素材をたっぷりの水をはったボウルに入れること。あくを抜いたり、水分を吸わせてパリッとさせるのが目的。

みぞれ
大根やかぶのすりおろしを使った料理に使われる名前。おろし和えは「みぞれ和え」とも呼ばれる。

むき身
あさりやかきなどの貝類、えびなどを生のまま殻をむいて身を取り出した状態。

面《めん》取《と》り
切った野菜の角を薄くむき取り、角を丸くすること。煮る間に角と角がぶつかって煮くずれするのを防ぐだけでなく、姿がやさしく美しくなる。

もどす
干ししいたけやひじき、高野豆腐、海藻などの乾物、ゼラチンなどに水を含ませ、乾燥前の柔らかい状態にすること。

【や】

焼き霜《しも》
魚や肉をあぶって、表面だけにさっと熱を通すこと。たんぱく質が変性して白く霜がおりたようになる。

焼き目をつける
素材の表面を焼いて、こんがりとした焼き色をつけること。主に肉や魚に使う。

薬味《やくみ》
料理の味を引き立てるために添える、香り野菜や香辛料のこと。刺し身に添えるわさびやしょうが、そばに添えるねぎ、鍋ものの大根おろし、うなぎにふる粉山椒など。

ゆがく
ゆでること。沸騰した湯に材料を入れ、さっと火を通すこと。

湯せんにする
鍋に湯を沸かし、ひと回り小さい鍋やボウルに加熱する材料を入れて湯に浮かべ、間接的に加熱する方法。

ゆでこぼす
材料をゆで、そのゆで汁を捨てること。あくやぬめりを取る下ごしらえのひとつで、里いもや豆などに行う。

湯通しする
沸騰した湯の中に材料を入れ、さっとゆでてすぐに引き上げること。熱湯を回しかけることもいう。ざるに入れてから湯につけると、一度にさっと引き上げることができて便利。

湯引き
さっと湯に通して、すぐに冷水にとること。主に刺し身のように生っぽく食べるときの方法。いかやたこ、白身魚などに行うことが多い。

寄せる
寒天やゼラチン、葛粉などで、下味をつけた野菜やえびなどを固めること。型に入れて冷やし固めたり、まとめたりする。

余熱《よねつ》
素材を加熱したあともまだ持ち続けている熱のこと。

本当においしく作れる 和食

材料別さくいん

春 p.8

材料（4人分）

平貝……4個
ゆでたけのこ……1本（200g）
ゆでたけのこの煮汁
　だし……2½カップ
　薄口醤油……¼カップ
　みりん……¼カップ
　酒……¼カップ
　だし昆布……3cm角1枚
ゆでわらび（→p.60）……30g
わらびの煮汁
　だし……140mℓ
　薄口醤油……小さじ2
　みりん……小さじ2
水菜・菜の花・そら豆・たらの芽・こごみ・
　山うど・うるい・片栗菜……各適量
八方だし（→p.13）……適量
わさびすだち醤油
　醤油・すだちの絞り汁・わさび……各適量
木の芽・よりうど……各少量

❶平貝の貝柱を殻からはずしてわたとひもを除き、薄皮をむく。直火であぶって焼き霜にし、氷水にとって水気をきる。一口大に切る。
❷ゆでたけのこは、煮汁の材料を合わせた鍋で40分煮て、鍋の中で冷ます。一口大に切る。
❸ゆでわらびは、煮汁の材料とともにさっとひと煮立ちさせ、鍋ごと氷水に入れて急冷する。ペーパータオルをかぶせて30分おき、食べやすく切る。
❹水菜、菜の花、そら豆、山菜類はそれぞれさっとゆでて冷水にとり、水気をきって、それぞれ八方だしに2時間ほど浸す。汁気をきって食べやすく切る。
❺❶～❹を混ぜて、わさびすだち醤油で和える。木の芽、よりうどをあしらう。

●昆布の協力店

昆布・海産物處「しら井」
昭和6年創業。石川県七尾市の一本杉通りに町家造りの店を構えて、さまざまな種類の昆布や昆布製品を商うとともに、昆布にまつわるギャラリーも設えています。昆布は北海道が産地で、江戸時代に、北前船が鮭やにしんなどとともに昆布を積んで、下関・瀬戸内海経由で天下の台所、大阪に運びました。七尾港はこの昆布を運んだ航路「コンブロード」に位置します。

石川県七尾市一本杉町百番地
☎0767-53-0589

夏 p.9

材料（作りやすい量）

たこの柔らか煮
　生たこの足……1本
　片栗粉……適量
　小豆……10g
　水……1.1ℓ
　酒……170mℓ
　砂糖……35g
　醤油……70mℓ
かぼちゃの含め煮
　かぼちゃ……200g
　だし……4カップ
　みりん……1½カップ
　塩……小さじ1弱
冬瓜の含め煮
　冬瓜……200g
　米のとぎ汁……適量
　だし……2カップ
　だし昆布……5cm角1枚
　塩……小さじ⅓
　薄口醤油……3～4滴
八方だし（→p.13）……適量
青柚子の皮（すりおろし）……少量

❶たこの柔らか煮を作る。たこに片栗粉をふってもみ、水洗いする。大きめの鍋に湯を沸かし、たこを入れて霜ふりにする。
❷銅鍋にたこと小豆を入れ、分量の水と酒を加えて火にかける。沸騰したらあくを取って火を弱め、ペーパータオルをかぶせて煮る。小豆が柔らかくなったら砂糖を加えて甘みをなじませ、醤油も加えてふっくらと煮る。
❸かぼちゃの含め煮を作る。かぼちゃは4cm角に切り、皮をむく。鍋にだし、みりんとかぼちゃを入れて煮立て、塩を加えて火を弱め、ペーパータオルをかぶせて柔らかく煮る。
❹冬瓜の含め煮を作る。冬瓜は4等分に切り、種とわたの部分を除いて皮をむく。面取りをし、皮の部分に格子の切り目を入れる。
❺鍋に冬瓜とかぶるほどの米のとぎ汁を入れ、竹串が通るくらいにゆでて流水で洗う。
❻別の鍋にだしとだし昆布を入れて❺を加え、火にかけて出てきたあくは除く。塩、薄口醤油を加えて、ペーパータオルをかぶせて煮含める。煮上がったら、盛る直前に半分に切る。
❼冷めたたこ、かぼちゃ、冬瓜を盛り合わせ、冷たい八方だしをはって青柚子の皮をふる。

秋 p.10

材料（2人分）

松茸（70gのもの）……½本
かます（200gのもの）……1尾
栗の甘露煮（瓶詰）……4個
新ぎんなん……10個
塩……適量
サラダ油・揚げ油……各適量

❶松茸は根元を鉛筆のように削り、ペーパータオルでやさしく払って土や汚れを落とす。笠に切り目を入れて、縦に2等分に裂く。
❷かますは三枚におろし、それぞれ皮目に細かく切り目を入れ、塩をふって10分おく。
❸❷の水気を拭き、松茸の軸の部分をそれぞれ巻いて竹串で留める。
❹グリルの網にサラダ油を塗って熱し、❸をのせ、全体をこんがりと焼く。焦げそうになったらアルミ箔で覆う。栗の甘露煮も焦げ目がつくまで焼く。
❺新ぎんなんは殻を割り、素揚げにして塩をふる。
❻かますの松茸巻き焼きを半分に切って盛り、❹の栗と❺を添える。

冬 p.11

材料（4～5人分）

米……4合（720mℓ）
八方だし（→p.13）……620mℓ
薄口醤油……大さじ1
ずわいがに……1ぱい
針生姜……適量

❶米は水が澄むまで水を替えて洗い、水気をきる。土鍋に入れ、分量の八方だしを加えて10～15分おいて吸水させる。
❷ずわいがにはふんどしを除き、はさみと足を切り離す。
❸かにの胴と足、はさみを直火で表裏ともこんがり焼き、身は半生に仕上げる。
❹❶に薄口醤油を加えて、沸騰するまで強火で約8～10分、吹いてきたら火を少し弱めて3分、最後はごく弱火で2分加熱する。火にかけてから合計で13～15分で炊き上げる。蒸らす直前に針生姜を散らし、焼きがにをのせる。

銀座 小《こ》十《じゅう》のご紹介

ご家庭で作りやすいレシピを熱心に教えてくださった奥田透料理長のお店、「銀座 小十」をご紹介します。お店では、本に載っている料理とはまた違う日本料理の粋を楽しむことができます。

東京・銀座にオープンして10年を機に、並木通り沿いに移転。高級感あふれるゆったりとした空間で、正統派の日本料理がいただけると、国内外からお客さまが訪れます。そしてカウンターの向こうでお客さまを温かく迎えるのが、ご主人の奥田透さん。店名の由来にもなった唐津焼の名工・西岡小十さん作の器や四季折々のお椀など、目でも日本料理のよさを実感できるのも魅力です。料理、器、しつらい、空間——その細部にまで貫かれた奥田料理長の美意識によるものでしょう、ミシュランの三ツ星を守り続けています。

銀座 小十

東京都中央区銀座5-4-8 カリオカビル4階
☎03-6215-9544
営業時間／12時～13時（L.O.）、
18時～21時30分（L.O.）
定休日／日曜・祝日
料金／昼21,000円、夜26,250円

カウンターで奥田料理長を囲んで、調理場のスタッフの皆さん。左から安井大和さん、青柳 仁さん、奥田料理長、遠藤光宏さん、八田和哉さん。

奥田 透（おくだ・とおる）

1969年静岡市生まれ。高校時代から料理に興味を持ち、静岡や徳島などで修業。99年に独立、静岡市に「花見小路」を開き、連日満席ながらも店を譲り、2003年に東京・銀座に「小十」を開店。ミシュランガイドでは、初年の2008年度版から三ツ星を守り続けている。日本料理の原点「だし」の味を決めるのは水であると、故郷・静岡の湧き水を毎日取り寄せるほど。おいしさへの追求心はとどまることがない。

撮影　高橋栄一
アートディレクション　山川香愛
デザイン　原 真一朗（山川図案室）
取材・文　森山弥生
スタイリング　岡田万喜代
校正　佐野春美
編集　原田敬子

●器協力してくださったかたがたの器の取り扱い店
荒賀文成／宙（そら）
東京都目黒区碑文谷5-5-6　☎03-3791-4334
艸田正樹／桃居（とうきょ）
東京都港区西麻布2-25-13　☎03-3797-4494
中里花子／KOO
http://nakazatotakashi-utuwa.co.jp/　☎0955-79-5355
藤平 寧／エポカ ザ ショップ 銀座・日々（にちにち）
東京都中央区銀座5-5-13 地下1階　☎03-3573-3417
米田 和／黒龍堂
石川県金沢市本町1-5-3 リファーレビル1階　☎076-221-2039

きちんと定番COOKING
本当においしく作れる 和食

発行日　2012年10月15日　初版第1刷発行
2013年 9 月30日　第2刷発行

著　者　奥田 透
発行者　小穴康二
発　行　株式会社世界文化社
〒102-8187
東京都千代田区九段北4-2-29
電話　03-3262-5438（編集部）
03-3262-5115（販売部）

印刷・製本　共同印刷株式会社

ISBN 978-4-418-12311-7